いま世界の哲学者が考えていること

岡本裕一朗

JN030620

朝日文庫

本書は二〇一六年九月、ダイヤモンド社より
刊行されたものに加筆・修正しました。

はじめに

本書は、私たちが生きているこの時代を、哲学によって解明することをめざしています。しかし、科学技術が発達した現代において、哲学などいったい何の役に立つのか、と反論されるかもしれません。最近では、哲学は社会的に無用である、という声さえ聞こえてきます。こうしたなかで、あえて本書を出版するのはどうしてなのか、あらかじめ書いておこうと思います。

歴史を眺めてみれば、**時代が大きく転換するとき、哲学が活発に展開されている**のが分かります。しかも、そうした時代の転換には、科学技術の状況が密接に関係しているのです。たとえば、中世から近代へと移行する時期、近代科学が形成されるとともに、羅針盤や活版印刷技術が普及しました。それによって、グローバルな経済活動が引き起こされたり、宗教改革が進展したり、近代国家が組織されたりしました。こうした社会的な変化に対応するように、哲学として大陸合理論やイギリス経験論が勃興しています。

こうした時代転換に匹敵する出来事が、まさに現代において、進行しているのではないでしょうか。たとえば、20世紀後半に起こった**ＩＴ（情報通信技術）革命**や**ＢＴ（生命科学）革命**は、今までの社会関係や人間のあり方を根本的に変えていくように見えます。また、**数百年続いてきた資本主義や、宗教からの離脱過程が、近年大きく方向転換しつつある**のは、周知の事実となっています。さらに、近代社会が必然的に生み出してきた**環境問題**も、現代においてのっぴきならない解決を迫っています。こうした状況をトータルに捉えるには、どうしても哲学が必要ではないでしょうか。

物事を考えるとき、哲学は広い視野と長いスパンでアプローチします。日々進行している出来事に対して、一歩身を引いたうえで、「これは**そもそもどのような意味なのか**？」「これは**最終的に何をもたらすのか**？」という形で問い直すのです。一見したところ、悠長な問いかけのように感じますが、時代がドラスチックに変化するときには、こうした哲学の姿勢が欠かせません。このような考えにもとづいて、私は本書を執筆いたしました。ここで考察するどの問題も、根本的な問題ばかりなので、解決には程遠いかもしれませんが、少なくとも問題の所在については確認できると思います。この視点が果たしてどれほど有効なのか、皆さんにご判断していただければ幸いです。

なお、本書の特筆すべき特徴として、具体的諸問題を取り扱う前に、最近の哲学的な状況について、1章を設けて解説したことを付言しておきます。この部分は、今までほとんど触れられることのなかった内容だと思います。現代の哲学といった場合、通例では、フランスのポスト構造主義やドイツのフランクフルト学派などが対象になっています。しかし、デリダやローティをはじめ、20世紀後半のスター哲学者たちはほとんど亡くなってしまいました。「**21世紀になって、世界の哲学はどうなっているのか**」と、多くの人々が疑問に感じていましたが、まったく紹介されてきませんでした。本書では、紙幅の制限もあって十分ではありませんが、その見取り図だけでも簡単に描いてみました。今後、批判も含め、さまざまな側面から議論が提出されると思いますが、一つのたたき台は提供できると思います。

最後になりましたが、本書は現代に焦点を絞りましたので、登場する哲学者たちは必ずしも一般的によく知られているわけではありません。そのため、まだ翻訳されていないものも含まれています。また、訳本につきましては、利用させていただきましたが、行論の都合上、変えさせていただいた部分もあります。その点について、お許しいただければと思います。

目次

はじめに……3

序章 現代の哲学は何を問題にしているのか

哲学は今、何を問うているのか……22
日本で哲学は誤解されている？……22
「哲学説」研究者は哲学者か……25
哲学は今、何を問うのか……28
モダン（近代）を問い直す……30
哲学の潮目が変わった！……32
本書で取り扱うこと……35

第1章
世界の哲学者は今、何を考えているのか

第1節 ポストモダン以後、哲学はどこへ向かうのか……40
「言語論的転回」とは何か……43
「真理」はどこにも存在しない……46
ポストモダン以後の三つの潮流……50
第2節 メディア・技術論的転回とは何か……57
歴史的ア・プリオリとしての言語……57
メディオロジーから技術の哲学へ……60
なぜメディアが哲学の対象となったのか……62
第3節 実在論的転回とは何か……66
21世紀の時代精神とは……66
人間の消滅以後の世界をどう理解するか……70
「新実在論」とドイツ的な「精神」の復活？……74

第4節 自然主義的転回とは何か……80

心を消去することはできるか……80

拡張される「心」……83

道徳を脳科学によって説明する……87

《本章をより理解するための》ブックガイド……92

第2章 IT革命は人類に何をもたらすのか

第1節 人類史を変える二つの「革命」……94

SNSは独裁国家を倒せるのか？……97

スマートフォンの存在論……100

SNSは市民のためのメディアではない？……104

第2節 監視社会化する現代の世界……108

「マイナンバー制」は監視社会を生むのか……108
ＩＴが生み出した自動監視社会……112
シノプティコン――多数による少数の監視……115
現代の「コントロール社会」の正体……118
FacebookとGoogleの野望？……122
第3節 人工知能が人類にもたらすもの……125
ビッグデータと人工知能ルネサンス……125
人間と同等に会話できるＡＩは生まれるか……128
フレーム問題は解決したのか……132
第4節 ＩＴ革命と人間の未来……137
ホーキング博士の警告……137
人間の仕事がロボットに奪われる……140
人工知能によって「啓蒙」される人類？……143
《本章をより理解するための》ブックガイド……148

第3章 バイオテクノロジーは「人間」をどこに導くのか

第1節 「ポストヒューマン」誕生への道……150
人間のゲノム編集は何を意味するのか……150
人体の改変をめぐる論争……153
バイオテクノロジーは優生学を復活させるのか……156
「トランスヒューマニズム」の擁護……159

第2節 クローン人間は私たちと同等の権利をもつだろうか……163
クローン人間にまつわる誤解……163
一卵性双生児とクローンは何が違うのか……167
クローン人間の哲学……171

第3節 再生医療によって永遠の命は手に入るのか……177

寿命革命はすでに始まっている……177
不老不死になることは幸せなのか……181
老化遅延と生命延長の是非……183

第4節
犯罪者となる可能性の高い人間はあらかじめ隔離すべきか……187
犯罪者には「道徳ピル」を飲ませればいい？……187
脳を見れば犯罪者が分かる？……190
近代的な刑罰制度はもう役に立たないのか……194

第5節
現代は「人間の終わり」を実現させるのか……198
BT革命が「人間」を終わらせる……198
「神を殺した人間」はどこへ向かうか？……201
「ヒューマニズム」の終焉……204

《本章をより理解するための》ブックガイド……209

第4章 資本主義は21世紀でも通用するのか

第1節 資本主義が生む格差は問題か……212
「近代」が終わっても資本主義は終わらない？……212
「ピケティ現象」の意味するもの……215
格差は経済ではなく政治問題……218
格差は本当に悪なのか……222

第2節 資本主義における「自由」をめぐる対立……227
いったい何からの「自由」なのか……277
ネオリベラリズムとは何か……231
自由主義のパラドックス……235

第3節 グローバル化は人々を国民国家から解放するか……240
21世紀の〈帝国〉とは何を指すのか……240

アメリカ「帝国」の終焉……244
グローバリゼーションのトリレンマ……247
第4節
資本主義は乗り越えられるか……252
仮想化する通貨……252
フィンテック革命と金融資本主義の未来……257
ITによって変容する資本主義……260
資本主義は生きのびることができるか……265
《本章をより理解するための》ブックガイド……271

第5章

人類が宗教を捨てることはありえないのか

第1節
近代は「脱宗教化」の過程だった……274

理性的に宗教を考える……277
多文化主義から宗教的転回へ……280
世俗化論から脱世俗化論へ……285

第2節

多様な宗教の共存は不可能なのか……289
文明間の衝突は避けることができるか……289
多文化主義モデルか、社会統合モデルか……294
「個人的かつコスモポリタン的」な宗教は可能か……298
イスラム教とヨーロッパの未来……303
フランス国民がイスラム教徒の大統領を選ぶ？……304

第3節

科学によって宗教が滅びることはありえない……309
グールドの相互非干渉の原理……309
無神論者ドーキンスの宗教批判……312
宗教を自然主義的に理解する……315
創造説とネオ無神論……319
《本章をより理解するための》ブックガイド……323

第6章

人類は地球を守らなくてはいけないのか

第1節 環境はなぜ守らなくてはいけないのか……326

人間中心主義は環境破壊につながるのか……328

「土地倫理」と「環境倫理学」とは……331

「ディープ・エコロジー」の功罪……335

第2節 環境論のプラグマティズム的転換……340

環境保護は道徳と関係がない……340

経済活動と環境保護は対立するか……343

環境プラグマティズムは何を主張しているのか……347

第3節 環境保護論の歴史的地位とは……352

リスク社会の到来……352

ポストモダン化する環境哲学……357
終末論を超えて……361
地球温暖化対策の優先順位は？……364
「環境問題」を21世紀に問い直す……368
《本章をより理解するための》ブックガイド……370

第7章 リベラル・デモクラシーは終わるのか

第1節 アメリカ政治の転換（2016年以後）……373
トランプ現象が意味するもの……373
リベラル・デモクラシーからの大転換……377
新反動主義の台頭……380
第2節 新型コロナウイルス感染症パンデミック（2020年以後）……384

規律社会から管理社会へ……384
強権的な専制主義への移行？……388
コロナ・パンデミックからコミュニズムへ……391
科学にもとづく民主的な管理は可能か？……396

第3節 ウクライナ戦争（2022年以降）……401

ウクライナはいま独裁政権!?……401
ウクライナ戦争は、ロシアに対するアメリカの戦争？……406
「歴史の終わり」の終わりと「第4の政治理論」……410
《本章をより理解するための》ブックガイド……415
おわりに……417
文庫版あとがき……421
注記……431

本文デザイン：谷関笑子（TYPEFACE）

序章

現代の哲学は何を問題にしているのか

○ 哲学は今、何を問うているのか

本書では、世界の「哲学者」が今どんなことを考えているかを見ていきますが、そもそも哲学ということが何を問題とする（あるいは、問題としない）のかをまず述べておきたいと思います。というのも、哲学についてのイメージが異なれば、誰を哲学者と見なすのかも違うからです。哲学や哲学者について、一義的な理解があるわけではありませんが、無用な誤解を避けるためにも、本書で取り上げる「哲学」がどんなものか、あらかじめ話しておくことにします。

日本で哲学は誤解されている？

ちなみに、「哲学」という言葉を聞いて、皆さんはどのような学問だと思われるでしょうか？　この問いに対して、日本ではおそらく、「**人生論**」

をイメージする人が多いのではないでしょうか。「人生とは何ぞや?」とか、「いかに生くべきか?」といった問題を考えるのが、哲学というわけです。じっさい、Amazonで「哲学・思想」ジャンルの売れ行きランキングを調べてみると、たいてい、このタイプの本が上位を占めています。

たとえば、D・カーネギーの『人を動かす』や『道は開ける』は、この部門の長年にわたるベストセラーですし、最近ではマンガまで出版されています。ところが、哲学の研究者でカーネギーを哲学者と見なす人を、私は知りません。また、哲学の学会で、彼の本が問題になることもありません。

しかし、哲学=人生論というイメージには、まったく根拠がないわけではありません。じっさい、哲学の始祖とされるソクラテス*は、「ただ生きることではなく、よく生きること」を問題としました。よく生きるために何をすべきか——これが哲学にとって根本問題であることは、間違いありません。また、現代に目を移してみれば、フランスのノーベル賞作家アルベール・カミュは、『シーシュポスの神話』でこう言いきっています。「真に重大な哲学上の問題はひとつしかない。自殺ということだ。人生が生き

ソクラテス
古代ギリシアの哲学者。プラトンの師にあたる。著作を残しておらず、その思想は弟子の著作から窺うことができる。

るに値するか否かを判断する、これが哲学の根本問題に答えることなのである」。

たしかに、哲学者たちがこのタイプの書物を書いたことはあります。たとえば、19世紀のキルケゴール*やショーペンハウエル*などは、その代表と言えるかもしれません。また、近ごろ話題となった『超訳　ニーチェの言葉』も、この文脈で読まれていると思います（もっとも、ニーチェをそう理解してよいかは疑問です）。さらには、19世紀末から20世紀初め頃に書かれた、ヒルティやアランやラッセルなどの三大『幸福論』も、やはり「人生論」として読みつがれています。戦前の日本の哲学者三木清などは、そのものズバリ『人生論ノート』というエッセイを書いています。

しかし、こうした「人生論としての哲学」を、今でも哲学者たちが積極的に語っているかといえば、「Ｎｏ」と言わなくてはなりません。人生論についていては、もしかしたら、作家や宗教家の方が感動的な話を書くことができそうです。あるいは、社会的に成功した実業家ならば、哲学者よりも有益な方法を教えてくれるかもしれません。それに、哲学が人生論だとすれば、わざわざ大学で学ぶこともないでしょう。

セーレン・キルケゴール
19世紀のデンマークの哲学者であり、神学者。著作に『死に至る病』など。現代実存哲学の創始者。

アルトゥル・ショーペンハウエル
主に19世紀に活動したドイツの哲学者。その思想はニーチェに大きな影響を与えた。主著は『意志と表象としての世界』。

このように考えると、本書で取り扱う現代の哲学者たちが、人生論としての哲学を語っていないことは確認できると思います。では、人生論を語っていないとすれば、彼らはいったい何を問題にしているのでしょうか。それを理解するために、哲学についてのもう一つのイメージを見ておきたいと思います。

「哲学説」研究者は哲学者か

日本で「哲学」という場合、「誰某の『哲学』」をイメージすることが少なくありません。たしかに、哲学の学会に参加すると、哲学者の説を紹介したり、批評したりするのが主流となっています。論文や口頭発表のタイトルは、たいてい「〇〇（哲学者）における△△」という形をとります。たとえば、「ヘーゲル[*]『論理学』における〈反省〉の構造」といったタイトルです（このタイトルは、若かったころ私の論文で使用しました）。

ここから分かるように、哲学の研究とは、歴史上の偉大な人物（哲学者）の考えを紹介したり、解釈したりすることだと見なされているのです。そ

ゲオルク・ヴィルヘルム・フリードリヒ・ヘーゲル　ドイツの哲学者。ドイツ観念論を代表する思想家であり、現代哲学に大きな影響を与えた。弁証法で知られる。

のため、大学院の哲学科に入って、最初に決めることは「**誰（の学説）を研究するか**」になります。哲学研究とは、ある哲学者の説を詳細に理解することだ、と考えられているからです。この作業を進めるためには、哲学説にかんする先行研究をサーベイ（調査）する必要があります。こうして、「（誰某）専門家」が誕生するわけです。

いうまでもなく、一人の哲学者の説でさえ、詳細に調査すれば膨大な作業になりますし、偉大な哲学者であれば尚更のことです。いったんこの道に入り込むと、課題は無限に見つけることができるでしょう。また、その学説にかんする研究が蓄積されていれば、それらをサーベイするだけでも、結構な労力が必要になります。

専門的な研究ともなれば、微に入り細を穿つような議論が展開されています。そのため、こうした研究者の発表を聞いても、専門分野が違う場合、発表内容がほとんど理解できないことがあるのです。典型的なタコつぼ型の発表ですが、学会ではごくありふれた風景と言えます。

この手の研究者が大学で講義すると、おそらく自分が専門とする哲学者の説を延々と説明することになるでしょう。昔の大学の講義でよく見られた光景ですが、たとえば一般教養の講義でさえも、カント*の学説を事細かに紹介したり、それに対する他の研究者の解釈に批評を加えたりするわけです。

しかし、哲学を専門としない学生にとって、なぜこの学説を学ぶ必要があるのか、さっぱり分からないまま、講義を聞かなくてはなりません。こうした講義を、はたして哲学の講義と呼ぶことができるのでしょうか。むしろ、哲学説の紹介と言った方が適切のように思えます。

問題なのは、そうした哲学説の研究者が、ただ学説にとどまって、その先に向かわないことです。おそらく、ホンモノの哲学者であれば、問題とする事柄（ひとまず「具体的な現場」と呼んでおきます）に直面し、それをどう捉えるか格闘しながら、理論を作り上げていったはずです。

したがって、哲学者の学説を理解するには、研究者はその学説だけでなく、さらに具体的な現場に赴き、自らもそれと格闘しなくてはなりません。具体的な現場こそが問題であって、哲学説を理解するには、哲学者が直面したその現場に迫っていく必要があるのです。

イマニエル・カント
18世紀のドイツの哲学者。『純粋理性批判』、『実践理性批判』、『判断力批判』の三批判書を発表し、認識論に転回をもたらした。

哲学は今、何を問うのか

とすれば、ここで「哲学」をどのように取り上げればいいのでしょうか。本書で指針としたいのは、フランスの哲学者ミシェル・フーコー*が、1982年に発表した論文で語った文章です。彼は亡くなる二年前に、カントの『啓蒙とは何か』（1784年）について次のように書いています。

「啓蒙とは何か」という問いを発した時、カントが言わんとしたのは、「たった今進行しつつあることとは何なのか、**われわれの身に何が起ころうとしているのか**、この世界、この時代、われわれが生きているまさにこの瞬間は、いったい何であるのか」ということであった。（中略）**われわれは何者なのか**――歴史の特定の瞬間において。(1)

ここでカントの意図として述べられているのは、言うまでもなく、フーコー自身の考えに他なりません。「たった今進行しつつあることとは何なのか、われわれの身に何が起ころうとしているのか、この世界、この時代、

ミシェル・フーコー 1984年死去。実存主義の後を受けて、構造主義・ポスト構造主義思想を展開したフランスの哲学者。

われわれが生きているこの瞬間はいったい何であるのか、われわれは何者なのか」。フーコーはカントの名前を使いながら、実は自分自身の問題を表明しているのです。このフーコーの表現を、本書の方針にしたいと思います。

19世紀の初頭に、ドイツの哲学者であるヘーゲルは、哲学に対して「ミネルバのフクロウ」という比喩を使いました。『法哲学』（１８２１年）の序文において、「ミネルバのフクロウは、迫り来る黄昏とともに飛び立つ」と書いたのです。そのレトリックでヘーゲルが述べようとしたのは、哲学が「自分の生きている時代を概念的に把握する」ということです。

自分の生きている時代（「われわれは何者か」）を捉えるために、哲学者は現在へと到る歴史を問い直し、そこからどのような未来が到来するかを展望するのです。この哲学者の問いを、本書では具体的な状況に沿って解明したいと思います。

モダン（近代）を問い直す

哲学にとって「今」というこの時代が重要であるのは、単なる一般論ではなく、特別な理由にもとづきます。それは、現代（今）というこの時代が、歴史的に大きな転換点に立っているからです。しかも、この「歴史的転換」は、数十年単位の出来事ではなく、数世紀単位の転換に他ならないのです。

この意味を理解していただくために、ルネサンス期の活版印刷術*を例に挙げてみましょう。この印刷術は、15世紀中にはヨーロッパ全土に広がったのですが、これがルターの宗教改革やヨーロッパの国民国家形成を促したことは、よく知られています。この時期、いわゆる**「中世」から「近代」への歴史的転換**が引き起こされたのです。ところが、まさに現在、活版印刷術に代わる新たなメディア（デジタル情報通信技術）が登場しているのです。とすれば、「近代」から新たな時代への歴史的転換が、今進行中である、と考えられないでしょうか。

1970年代から80年代にかけて、世界的に「**ポストモダン***」が流行し

活版印刷術
活字を組み合わせて作った版（活版）を使用した印刷。ヨーロッパ初の活版印刷書籍は聖書であった。

ポストモダン
現代という時代を、近代が終わった「後」の時代として特徴づける言葉。主に哲学・思想・文学・建築の分野でモダニズムを批判する文化上の運動。

ました。しかし、この流行は長く続かず、やがて「ポモ」などといって、ずいぶん前から嘲笑の対象になりました。たしかに奇抜な建築は残されたのですが、理論的な成果には乏しかったように思えます。

けれども、「ポストモダン」が一つだけ重要な問題提起をしたのは間違いありません。「ポストモダン」という言葉そのものが示しているように、モダン（近代）を相対化し、その終わりを主張したことです。「モダン」をどう捉えるかは、論者によってさまざまですが、モダンが終わりつつあるという直観は、時代として共有されていたように思えます。「ポストモダニスト」になるかどうかは別にして、現在が「モダン」そのものの転換期であることは、注意してよいと思います。

もっとも、ドイツやイギリスの社会学者たちは、現代が「モダンの終わり」ではなく、むしろ「モダンの徹底化＝モダンの反省化」と主張しました。しかし、このときでさえも、今までの「モダン」が転換しつつあることは、共通の認識だったと言えます。「ポストモダン」か「反省的モダン」か——議論の方向は対立しているように見えますが、現代において「モダン」そのものが大きく転換していることは、疑いようがありません。

本書で問題とするそれぞれのテーマは、そのどれもが「モダンの転換」にかかわっています。哲学者たちは「ポストモダン」など提唱していなくても、彼らが具体的に取り組んでいる事柄自体は、否応なく「モダンの転換」にかかわってくるのです。

こうした「モダンの転換」は私たちをどこへ導くのでしょうか？　言うまでもなく、これは他人事ではなく、私たちの身に直接降りかかってくる問題です。したがって、哲学者たちが論じているのは、私たち自身の問題でもあります。その点では、哲学者たちと私たちの間には、何ら区別がないと言えます。そのため、世界の哲学者たちの考えを手がかりに、私たちは自分の疑問を深めていくことができるのではないでしょうか。

哲学の潮目が変わった！

時代の変化という点で言えば、哲学そのものも変わり始めていることに、注意が必要です。ひと昔前の哲学観は今では通用しなくなっています。たとえば、哲学の発信地はどこかと訊ねると、以前はドイツやフランス

フリードリヒ・ニーチェ
19世紀のドイツの哲学者、古典文献学者。「ルサンチマン」「超人」といった概念を残し、後世の思想家に大きな影響を与えた。

を挙げる人が多かったと思います。ドイツでは、カントやヘーゲル、ニーチェやハイデガー*の伝統があります。フランスでは、第二次世界大戦後にサルトルの実存主義*、その後フーコー、ドゥルーズ、デリダといったポスト構造主義*の流行がありました。ところが、「哲学の今」を考えるときこうしたイメージはもはや妥当ではありません。

周知のように、20世紀末に経済のグローバリゼーションが進展しましたが、これと同じことが哲学についても起こったのです。しかも、グローバリゼーションがアメリカナイゼーションでもあったように、哲学のグローバル化は同時にアメリカ化でもあるように見えます。大陸系の哲学者たちが、こぞって**英米系の分析哲学を導入しつつある**のです。

ちょうど言語として英語が共通語となったように、哲学でも分析哲学が共通哲学のようになり始めています。それだけではありません。ドイツやフランスの哲学者にかんする研究が、本国からアメリカへと移っているのです。

ドイツのマルクス・ガブリエル*という新進気鋭の哲学者が、アメリカ人のヘーゲル研究者から語られた言葉を、『南ドイツ新聞』のなかで、次の

マルティン・ハイデガー
1976年死去。20世紀のドイツの哲学と実存主義に大きな貢献を残した。主著は『存在と時間』。

実存主義
現実的な個々の人間のあり方（実存）を哲学の中心におく思想的立場であり、それまでの合理主義思想を批判した。

ポスト構造主義
1960年代後半から70年代後半のフランスにおいて登場した。構造主義を批判的に継承しつつそれを乗り越えようとする思想運動。

マルクス・ガブリエル
79ページ参照。

ように伝えています。「ドイツの精神（ガイスト）は今やアメリカに宿っている！」(2)

たしかに、今日では、ヘーゲル研究は本国ドイツよりも、むしろアメリカにおいて生産的であるように見えます。しかも、こうした事態は、ヘーゲルに限りません。カントやニーチェも、さらにハイデガーやフランクフルト学派の研究も、今ではアメリカが中心になりつつあります。

それにともなって、ドイツやフランスの大学では、英米系の分析哲学が浸透しつつあるのです。ある人の話ですが、１９９０年代に解釈学を研究しようと思ってドイツに留学したら、その大学では英米系の分析哲学が精力的に取り込まれ、解釈学の研究は進捗しなかったそうです。その点では、フランスだからポスト構造主義、ドイツだから現象学・解釈学といった棲み分けは、現在では通用しなくなりました。そのいずれも、アメリカで活発に論じられているのです。

そうだとすれば、ドイツの「ガイスト」だけでなく、フランスの「エスプリ（精神と同義）」もまた、アメリカに宿るのでしょうか。この発言をどう評価するかは別にして、少なくとも、哲学研究におけるアメリカの地位、および分析哲学の世界化については、確認しておいた方がいいと思います。

しかし、哲学のグローバリゼーションは、その次のステップに進みつつあるように見えます。20世紀末にいったん**アメリカへと向かった哲学の潮流は、21世紀を迎えると、再び逆流し始めています**。現在では、グローバル化を受け入れた後で、再び独自の哲学形成に着手しているように思えます。これがどこへ向かうのか、本書でその一端でも提示したいと考えています。

本書で取り扱うこと

全体の構成にかんして言えば、本書では基本的に六つのテーマ(問題群)に分けて考えていくことにします。この分類は便宜的に設定したものですが、現代の状況を見渡すのに有効だと思います。具体的には、次のようになります。

①哲学は現在、私たちに何を解明しているか？
②ＩＴ革命は、私たちに何をもたらすか？
③バイオテクノロジーは、私たちをどこに導くか？
④資本主義制度に、私たちはどう向き合えばいいか？
⑤宗教は、私たちの心や行動にどう影響をおよぼすか？
⑥私たちを取り巻く環境は、どうなっているか？

これらの六つのテーマは、それぞれ独立しているわけではなく、相互に結びついています。そのため、どのテーマを考えるときでも、他のテーマがかかわってくるのは当然のことです。たとえば、バイオテクノロジーの状況は、ＩＴ革命ぬきには語れませんし、社会制度や宗教にも左右されます。ですから、それぞれのテーマは、現代を理解するための便宜的な切り口と考えてください。

このような事情ですから、それぞれのテーマに順序があるわけではありません。したがって、どのテーマから読み始めていただいても結構です。それでも、それぞれのテーマをより多面的に理解するには、ぜひ最後まで読んでいただきたいと思います。読み終えた後、もっと詳しく考えるために、それぞれの章には、簡単なブックガイドを付けておきます。興味のあるものから、手に取っていただくと、新たな発見が可能となるかもしれません。

第1章

世界の哲学者は今、何を考えているのか

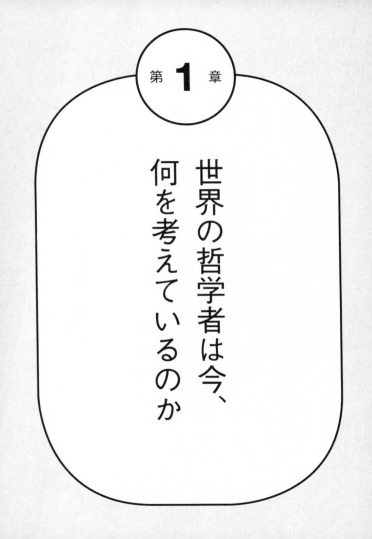

第1節

ポストモダン以後、哲学はどこへ向かうのか

これから、具体的な問題について、現代の哲学者たちが何を考えているか見ていきますが、それに先立って哲学・思想の最近の動向について、あらかじめ確認しておくことにしましょう。というのも、世界の哲学の潮流が今大きく転換しつつあるため、従来の理解ではうまく対応できないからです。

この変化については、すでに一部の分野では、少しずつその兆候が現われていました。しかし、世界的な思想転換としてはほとんど注目されていなかった、と思います。そこで、かなり概略的ではありますが、その変化が分かるように、現代の哲学的潮流を描いてみたいと思います。

現代の哲学的状況を理解するため、かつて使われた図式を確認することから始めましょう。ご承知かもしれませんが、哲学の世界的な潮流を考え

20世紀以降の哲学の動向

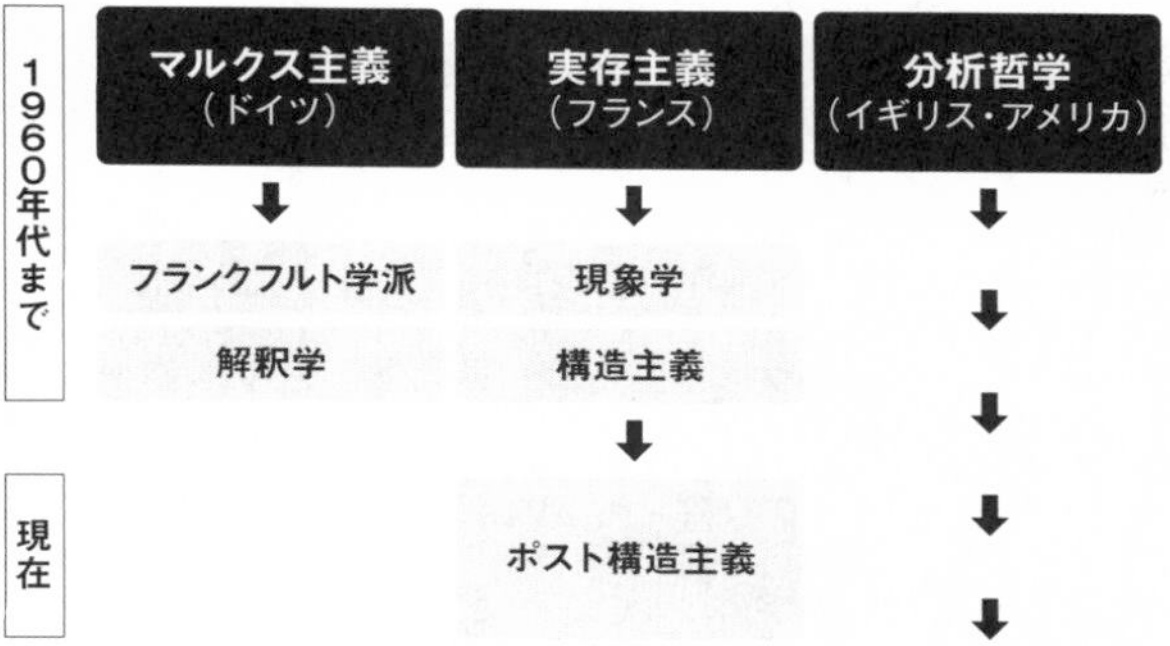

るとき、1960年代頃までは、およそ三つに分類されていました。一つ目が**マルクス主義***、二つ目が**実存主義**、三つ目が**分析哲学***です。これらはだいたい地域的にも分けられ、マルクス主義はドイツ、実存主義はフランス、分析哲学はイギリス・アメリカに配置されていました。もちろん、この地域については厳格ではありませんが、それぞれの地域で定着していたと思います。

　ところが、この三潮流は、その後大きく変容していきます。たとえば、フランスの実存主義は、次第に影響力を失い、その流行を現*

マルクス主義
マルクスとエンゲルスによって展開された思想をベースとして確立された社会主義思想。

分析哲学
20世紀に英語圏で主流となった哲学のスタイル。記号論理、概念分析、数学や自然科学の哲学などをテーマとすることが多い。

現象学
いかなる先入観にも囚われずに存在者に接近する方法によって、意識に直接的に与えられる現象を記述・分析する哲学。

象学や構造主義*に譲り、さらには70年代になるとポスト構造主義がブームとなりました。

他方のマルクス主義は、社会主義体制の歴史的な崩壊と相前後するように、哲学としても影響力を失っていきました。それにかわって、ドイツで勢力を広げたのは、フランクフルト学派*や解釈学*などでした。こうして、20世紀後半、フランスやドイツでは、構造主義やポスト構造主義、現象学や解釈学、フランクフルト学派の哲学が展開されたわけです。

このように、実存主義とマルクス主義が哲学の世界的な潮流としては勢力を失ったのに対して、アングロサクソン系の分析哲学は、その内実を変容させながら、現在でも現代哲学の中心的な勢力を保っています。そのため、今ではドイツやフランスの哲学者たちでさえ分析哲学を無視することができないどころか、むしろ分析哲学に積極的に合流しつつあるのです。

社会的なグローバリゼーションの進展にともなって、哲学の世界でも地域的な独自性が次第に薄れつつあります。ドイツやフランスの哲学は、即座にアングロサクソンの世界へ波及し、またアメリカやイギリスでの議論がすぐさま大陸でも問題となっています。こうした状況のなかで、世界の

構造主義
さまざまな事象を実体的な要素ではなく、事象に潜在する構造を抽出し、その構造によって事象を理解しようとする立場。

フランクフルト学派
フランクフルト大学の社会研究所を中心に活動した思想グループで、1920年代に設立された。マルクス主義にヘーゲルの弁証法とフロイトの精神分析理論の融合を試みた。

解釈学
テクスト解釈の方法と理論を扱う学問。ディルタイやガダマーによって発展した。

哲学はどこへ向かっているのか、考えてみたいと思います。

「言語論的転回」とは何か

急ぎ足で20世紀後半の哲学的な変化を見てきましたが、もう少し広い文脈で理解するようにしましょう。そこで注目したいのが、**リチャード・ローティ**の「**言語論的転回**」という言葉です。それが意味するのは、19世紀末から20世紀初頭にかけて引き起こされた哲学上の転換です。言語論的転回について、ローティは次のように表現しています。

> （言語的哲学とは）哲学の諸問題は言語を改革することによって、あるいはわれわれが現在使っている言語をよりいっそう理解することによって、解決ないし解消しうるという見解[1]（中略）。

この言葉はもともと、グスタヴ・バーグマンによって使われたものですが、ローティの編集による『言語論的転回』（1967年）によって、広く普及するようになりました。しかも、その後ローティの文脈からも離れて、20世紀の哲学的な展開全般を指すようになったのです。ローティにおいて言語論的転回は、ゴットロープ・フレーゲ*から始まる「分析哲学」の成立・展開を示しているのですが、一般的な用法としては、それだけに限定されるわけではありません。

たとえば、フランスではソシュール*やヤコブソン*の言語学に影響された構造主義や、それ以後のポスト構造主義も、言語論的転回のうちに算入されます。また、ドイツで展開された、ガダマー*などの解釈学や、ハーバマス*が提唱する「コミュニケーション理論」も、言語論的転回のうちに位置づけることができます。

そこで、この言葉を狭い意味と広い意味に分け、狭義の「言語論的転回」は分析哲学の展開、広義の「言語論的転回」はフランスやドイツの哲学をも含めた、20世紀哲学の展開として理解しましょう。この言葉を使うメリットは、複雑な現代哲学の展開を、全体としてシンプルに表現できることです。

そのうえ、この表現は、言語論的転回以前と以後を示唆する点で、大変

ゴットロープ・フレーゲ
ドイツの哲学者、数学者、論理学者。現代の数理論理学、分析哲学の祖と呼ばれる。

フェルディナン・ド・ソシュール
スイスの言語学者、言語哲学者。20世紀の言語学に決定的な影響を与え、構造主義言語学の祖とも呼ばれる。

ロマーン・ヤコブソン
1982年死去。ロシアの言語学者。言語学、詩学および芸術などの分野における構造分析の開拓、発展に寄与。

「言語論的転回」とは

17世紀　**認識論的転回（意識を分析する）**

↓

20世紀　**言語論的転回（言語を分析する）**
分析哲学
構造主義・ポスト構造主義
解釈学・コミュニケーション理論

↓

21世紀　**？**

興味深いと思います。一方で言語論的転回以前、哲学はどうだったのか、他方で言語論的転回以後、哲学をどう考えたらいいのか、問題になります。そもそも、言語論的転回は今も続いているのか、それとも現在は、それに代わる新たな転回が引き起こされているのか、問わなくてはなりません。

まず、言語論的転回が20世紀に起こったとするならば、それ以前をどう表現すればいいのか、考えてみましょう。それについては、大よそのコンセンサスができていて、表現としては「**認識（知識）論的転回**」と呼ばれています。近

ハンス・ゲオルク・ガダマー
2002年死去。解釈学と名づけられる、言語テクストの歴史性に立脚した独自の哲学的アプローチで知られる。

コミュニケーション理論
ハーバマスが『コミュニケーション的行為の理論』で展開した思想。物に対する行為ではなく、言語を介した人間同士の行為を分析する。

代哲学は通常、デカルト*に始まる大陸系の合理論とロックやヒュームからのイギリス経験論*に分けられますが、このいずれも主観と客観の関係にもとづいた「意識」の分析に集中します。こうした問題設定が、「認識論的転回」という言葉によって表現されています。

17世紀の認識論的転回以後、近代哲学が数百年続きましたが、19世紀末頃から20世紀初めにかけて、言語論的転回が引き起こされたのです。こうして、主観―客観関係における「意識」ではなく、むしろ「言語」を分析することが、哲学の主要なテーマとなりました。

20世紀の後半において、英米では分析哲学が展開され、フランスでは構造主義やポスト構造主義が流行し、ドイツでは解釈学やコミュニケーション理論などが提唱されましたが、それらは総じて言語論的転回の一環として理解されることになります。

デカルト
17世紀のフランスの哲学者、数学者。合理主義哲学の祖とされる。「われ思う、われあり」が基本命題。

イギリス経験論
人間のすべての知識は経験に由来すると考える立場。ロックから始まりヒュームによって理論的に発展した。

「真理」はどこにも存在しない

20世紀の哲学を「言語論的転回」として理解するとき、確認しておきたいのは、１９７０年代以降世界的に流行したポストモダン思想との関係です。「ポストモダン」というのは、もともと建築の分野で始まりましたが、その後、文化全体の新たな運動として、時代的な潮流となりました。

哲学的に「ポストモダン」を定式化したのは、ジャン・フランソワ・リオタール[*]の『ポスト・モダンの条件』（１９７９年）です。彼はポストモダンを「（モダンの）大きな物語に対する不信」と規定しましたが、そこで「大きな物語」と呼ばれたのは、万人が認めるような真理や規範を指しています。たしかに、現代人は、こうした真理や規範を、もはや信じているようには見えません。

それに代わって、リオタールがポストモダンとして提唱したのが、小さな集団の異なる「言語ゲーム」でした。他とは違う「小さな物語」を着想し、多様な方向へ分裂・差異化することが、ポストモダンの流儀となりました。

こうして、ポストモダン思想が、20世紀の言語論的転回と結びつくことになります。言語論的転回では、極端に言えば、①「**言語によって世界が構築される**」と見なされます。これは、一般に「言語構築主義」と呼ばれ

ジャン・フランソワ・リオタール
１９９８年死去。フランスの哲学者。「大きな物語の終焉」「知識人の終焉」を唱え、ポストモダンを流行語にした。

る立場です。この考えを代表するものとして、ジャック・デリダ[*]の表現「テクストの外には何もない」（『グラマトロジーについて』）がしばしば引用されます。

また、「言語構築主義」とともに、ポストモダン思想は、②「**異なる言語ゲームは共約不可能である**」と考えています。言語によって現実が構築されるとすれば、言語が異なるとき、現実も違ってくるのは当然でしょう。そのため、ポストモダンは、他の立場との「差異」を強調し、ついにはいずれの主張も優劣がつけられないという相対主義へと到るわけです。

①言語構築主義と②相対主義を提唱した哲学者が、アメリカで活躍したポストモダニストのローティです。彼は、『言語論的転回』を編集した後、『哲学と自然の鏡』（1979年）や『プラグマティズムの帰結』（1982年）を出版し、自分の立場を鮮明に打ち出すようになりました。さらには、同時代のフランスやドイツの哲学者たちと対話を進め、アングロサクソン系と大陸系の哲学の相互理解を図ったのです。そのときローティは、みずから「ポストモダニスト」を自認しました。

現在では、ポストモダン思想が主張する①言語構築主義と②相対主義

ジャック・デリダ
2004年死去。ポスト構造主義の代表的哲学者。代表的な著作に『グラマトロジーについて』がある。

は、哲学だけでなく、文化全般にまで浸透しているように見えます。その典型が、文化相対主義や歴史相対主義ですが、これは現代人の常識のようになっています。文化や歴史が異なれば、真理や善悪の判断が違ってくる、というわけです。また、学問的な水準では、「社会構築主義」という立場が提唱されているのは、ご存じかもしれません。

ローティのようなポストモダン的構築主義、相対主義に対して厳しく批判しているのが、ニューヨーク大学教授のポール・ボゴシアン*です。彼は、大学院生のときローティのもとで学んでいますが、そのためかえってローティ批判を強めるようになりました。そこで、ボゴシアンによる『知識への恐怖：相対主義と構築主義に抗して』（２００６年）を見ることにしましょう。その本で、ボゴシアンは最近のポストモダン的な思想状況を、次のように描いています。

最近20年以上――自然科学ではないとしても、人文科学と社会科学においては――人間の知識の本性に関する、あるテーゼをめぐって、際立ったコンセンサスが形成されてきた。それは、知識が社会的に構築されたものだ、と

ポール・ボゴシアン
ニューヨーク大学の哲学教授。ポストモダン的な哲学に抗して、批判的な議論を展開し、新実在論の運動にも参加している。

いうテーゼである。社会的構築という術語は比較的最近のものではあるが、根底にある考えは、心と現実との関係に関する長い間の問題にかかわっている。(2)

たしかに、20世紀の後半には、言語論的転回が積極的に推し進められ、そのうえポストモダンの流行によって、社会構築主義や相対主義が主張されるようになりました。そのため、道徳的な「善悪」や、法的な「正義」にかんしても、普遍的な真理はなく、多様な意見があるにすぎない、とされました。極端な場合には、自然科学的な事柄にかんしてさえ、多様な解釈があるだけであって、どの説が正しいのかは決定できない、と言われることがあったのです。

ポストモダン以後の三つの潮流

しかしながら、21世紀を迎える頃には、ポストモダンの世界的な流行も終息し、「言語論的転回」に代わる新たな思考が、模索されるようになりました。

(1)自然主義的転回

たとえば、アメリカで現在も活発な活動を展開している哲学者、ジョン・サール*に注目してみましょう。サールといえば、『言語行為——言語哲学への試論』(1969年)以来、「言語論的転回」の推進者のように見なされていましたが、『マインド——心の哲学』(2004年)において、次のように述べているのです。

20世紀の大部分においては言語の哲学が「第一哲学」であった。哲学の他の分野は言語哲学から派生し、それらの解決も言語哲学の帰結に依存するものとみなされた。しかし、注目の的はいまや言語から心に移った。(中略)いまや心が哲学の中心トピックであり、他の問題——言葉や意味の本性、社会の本性、知識の本性——はすべて、人間の心の性質という、より一般的な問題の特殊例にすぎないと考えておこう。(3)

ジョン・サール 1932年生まれ。言語哲学および心の哲学を専門とする哲学者。著作に『行為と合理性』などがある。

ここでサールが明示しているのは、**「言語」の哲学から「心」の哲学への転換**、という変化です。たしかに、20世紀の末頃から、「心の哲学」にかんする文献が、たくさん出版されるようになっています。たとえば、オックスフォード大学出版局から出ている『心の哲学のハンドブック』を手に取れば、最近の活発な状況が分かります。

しかし、一概に「心の哲学」といっても、心をどう理解するかが問題です。今のところ、一義的な理論が確立しているわけではありませんが、どんな立場であろうと、最近の認知科学、脳科学、情報科学、生命科学などの成果を取り込んでいるのは間違いありません。そのため、こうした変化を称して、「認知科学的転回」と表現することもあります。あるいは、この傾向の研究は、心をいわば自然科学的に研究するため、「**自然主義的転回**」と呼ばれることもあります。

(2)メディア・技術論的転回

ポスト「言語論的転回」は、自然科学や認知科学にもとづいた「心の哲学」を提唱するだけではありません。そこで、これ以外のポスト「言語論的転回」の動きも、確認しておくことにしましょう。たとえば、フランスのダニエル・ブーニュー*は、レジス・ドブレ*とともに「メディオロジー」という学問を提唱していますが、その学問の意義を次のように述べています。

記号論的―言語論的転回の後に、それを修正して語用論的転回が続くのだが、その後でメディオロジー的転回がこの二つの間で、発話行為の因子と意味をなすことの条件とを結びつけ、補完する役目を果たします。(4)

ここで想定されているのは、三段階（①言語論的転回②語用論的転回③メディオロジー的転回）ですが、大きな流れとしては、「言語論的転回」から「メディオロジー的転回」へと理解できます。メディオロジーというのは、あまり聞きなれない言葉かもしれませんが、コミュニケーションが行なわれるときの、物質的・技術的な媒体を問題にする学問のことです。そこでこれを、「**メディア・技術論的転回**」と呼ぶことにしましょう。

ダニエル・ブーニュー
1943年生まれ。グルノーブル第3大学教授。メディア・コミュニケーションの理論家で、ドブレと共にメディオロジーの基礎を築いた。

レジス・ドブレ
1940年生まれ。フランスの哲学者、作家。「メディアこそが権力を持つ」と洞察する、メディオロジーの創始者。

(3)実在論的転回

「自然主義的転回」や「メディア・技術論的転回」とは別に、フランスやドイツでは、「思弁的実在論」とか「新実在論」と呼ばれる潮流が胎動し始めています。この動きは、英米やイタリアをも巻き込んで、しだいに大きなうねりとなってきました。

そうした傾向を示すものとして、2011年に論集『思弁的転回』が編集されています。「大陸の唯物論と実在論」というサブタイトルをもつこの書の序文で、編集者たちは最近の傾向を次のように表現しています。

さまざまな面白い哲学的な傾向と、地球のあちこちに散らばったその拠点は、支持者たちを獲得し、そうした傾向を象徴するような著作の臨界量を生みだし始めた。こうした傾向をすべて網羅するのに十分な、単一の名前を見つけるのは困難ではあるが、私たちは「思弁的転回」という名称を、今や退屈になった「言語論的転回」に対比するものとして熟慮したうえで提案する。サブタイトルの「唯物論」と「実在論」というのは、新たな傾向をいっそう明確にしているが、同時に物質的なものと実在的なものの間の可能な区別も

21世紀におけるポスト「言語論的転回」

1　自然主義的転回（認知科学的に「心」を考える）

代表的な哲学者：チャーチランド、クラーク

2　メディア・技術論的転回（コミュニケーションの土台になる媒体・技術から考える）

代表的な哲学者：スティグレール、クレーマー

3　実在論的転回（思考から独立した存在を考える）

代表的な哲学者：メイヤスー、ガブリエル

維持している。[5]

このような「思弁的転回」がどこへ向かうのか、今のところあまりはっきりしませんが、「唯物論」や「実在論」という名称が示唆するように、構築主義とは異なって、**「思考」から独立した「存在」**を問題にするのは、間違いなさそうです。

そのため、ここでは全体の流れを総称して、**「実在論的転回」**と呼ぶこともできるでしょう。この「転回」を提唱している研究者たちは、若手が多く、大きな可能性を秘めているように感じます。

こうして、現在では、ポストモダン的な「言語論的転回」の後に、三つの新たな「転回」が提唱されている、と考えることができます。

もちろん、この三つで、現代世界の哲学的な動向を網羅できるわけではありませんが、最近の目立った傾向として注目すべきだと思います。

そこで以下において、それぞれの動きをもう少し詳しく見ていくことにしましょう（以後の節では、若干順序を変えて説明します）。

リチャード・ローティ（1931～2007）

アメリカの哲学者。分析哲学の伝統のなかで育ち、1967年に『言語論的転回』を編集すると、表題になった「言語論的転回」という言葉が流行した。その後、アメリカの伝統的な哲学である「プラグマティズム」の復権を図るとともに、ポストモダン思想やリベラリズムにも理解を示した。デリダやハーバマスといったヨーロッパの哲学者とも親交があり、アングロサクソン系の哲学と大陸系の哲学の融合を図った。

第2節

メディア・技術論的転回とは何か

歴史的ア・プリオリとしての言語

ポスト「言語論的転回」を考えるために、あらためて「言語論的転回」の歴史的な意味を確認することから始めましょう。手はじめとして、ミシェル・フーコー*の『言葉と物』（1966年）に目を向けることにします。この書において、フーコーは「エピステーメー」という言葉を使いながら、それを「知の可能性の制約（＝知を可能にする条件）」と見なし、次のように説明しています。

ある文化のある時代においては、つねにただ一つの「エピステーメー」があるにすぎず、それがあらゆる知の可能性の制約を規定する。それが一個の

ミシェル・フーコー
28ページ参照。

理論として明示される知であろうと、実践のうちでひそかに投資される知であろうと、このことに変わりはない。(6)

もともとエピステーメーという言葉は、ギリシア語ではドクサ（臆見）に対置され、「正しい知識」を意味していました。それをフーコーは、知が活動するための基盤や台座という意味として使い、認識が可能になる「秩序の空間」と考えたのです。このとき注目したいのは、「あらゆる知の可能性の制約」という言葉です。

この言葉は、カントが『純粋理性批判』（1781年）のなかで使い、認識を可能とする条件を意味していました。カントの場合には、そうした「あらゆる知の可能性の制約」は、ア・プリオリ（先天的）な「カテゴリー」とされました。つまり超歴史的で、普遍的な「カテゴリー」が、人間の認識を可能にするわけです。ところが、フーコーはカントとは違って、エピステーメーを「歴史的ア・プリオリ」と言いかえ、次のように説明しています。

このようなア・プリオリは、ある時代において、経験の中に一つの可能な知の場を切り取り、そこにあらわれうる対象の存在様態を規定し、日常的視線を理論的能力で武装するものであり、物にかんして真実と認められる言説を述べうるための諸制約を規定するものなのだ。(7)

こうして、カントにとって超歴史的（ア・プリオリ）な「知の可能性の制約」だった「カテゴリー」が、フーコーにおいては歴史的なア・プリオリとなり、言葉で表現されるエピステーメーと呼ばれたわけです。両者において、「知を可能にする制約（条件）」であることは共通ですが、「超歴史的」か「歴史的」か、という点で違っています。

フーコーの場合、エピステーメーは、時代によって異なり、歴史的に変化するのですが、それが「知を可能にする制約」という点でア・プリオリと言えます。ある時代に生きる人々は、そうしたエピステーメーを否応なく身につけ、それを通して知識を形成せざるをえません。そうした「言葉」を通して、物の認識が可能になるわけです。こうした「歴史的ア・プリオリ」という概念を提示することによって、フーコーは言語論的転回の推進者と見なすことができるのです。

メディオロジーから技術の哲学へ

しかし、「言語」といっても、それを伝える物質的な媒体なくしては、成立しないのではないでしょうか。たとえば、音声言語の場合には、身体（喉や口）を使って音を出し、身体（耳）を通して聞かなくてはなりません。さらに、音が伝達されるためには、媒体として空気が必要となります。また、文字言語の場合には、身体（目や手など）のほかにペンと紙が必要でしょう。したがって、こうした物質的な媒体（メディア）なくして、「言語」によるコミュニケーションは成り立つことができません。

そこで、ポスト「言語論的転回」として、フランスのドブレによって、「**メディオロジー的転回**」が新たに提唱されたのです。ドブレによれば、従来の言語論や記号論では、メッセージや意味が問題になっても、コミュニケーションが行なわれる際の伝達媒体には注意が向けられませんでした。しかし、思想であれ、宗教的教義であれ、それを伝える媒介作用がなくては不可能です。こうしたメディオロジーの意義を、ドブレは次のように語っています。

> 中間者こそが力をもつ。媒介作用こそがメッセージの性質を決定づけ、関係性が存在よりも優位に立つ。（中略）私は、高度な社会的機能を伝達作用の技術的構造とのかかわりにおいて扱う学問を「メディオロジー」と呼んでいる。[8]

ドブレのメディオロジーの構想を受けて、それを人間の存在様式から根本的に構想し直しているのが、**ベルナール・スティグレール**です。スティグレールは、デリダのもとでドクター論文を作成し、フーコー、ドゥルーズ、デリダ後の世代として、哲学の新たな方向の提唱者と見なされています。彼は、メディオロジーをも含む形で、「**技術の哲学**」を構想しています。1994年に第1巻が出版された主著の『技術と時間』において、その意義を次のように語っています。

この著作の対象は、あらゆる来たるべき可能性、あらゆる未来の可能性の地平として把握された技術である。（中略）ここでわたしは読者に、この困難と必然性を警告しておきたい。哲学は、その起源において、そして現在に至るまで、思考の対象として技術を抑圧してきた。技術は、非思考なのだ。(9)

スティグレールによれば、「技術」は人間を人間たらしめる最も本質的なものですが、哲学は今まで「技術」に目を向けることなく、視野の外に置いてきました。しかし、言語にしても、記憶技術であって、「技術」の観点から新たに捉えなくてはなりません。「技術」は、いわば人間の成立条件をなしているのですから、「技術」を考察することなくして、人間を理解できないのです。

なぜメディアが哲学の対象となったのか

フランスでメディオロジーや技術哲学への転換が提唱されていた頃、ドイツでもハーバマスの「コミュニケーション理論」から「メディア論」へのパラダイム・シフトが進んでいました。ベルリン自由大学の教授であるジュビレ・クレーマー*は、メディア学者の講演集を編集していますが、その中で現代の状況を、次のように指摘しています。

意識の諸現象が占めていた優位を、「言語論的転回」が覆し、言語へと目を転じたのと同じように、今度は、ほかならぬその言語というテーマから、メディアへと、重点が置きかわろうとしている。(10)

しかし、なぜメディア(媒体)が問題になるのでしょうか。それについては、ボーフム大学教授マンフレート・シュナイダー*が1998年に発表した論文を見ると、よく分かります。シュナイダーは、ハインリッヒ・フォン・クライスト*の有名な書簡(1801年)について考察を加えていますが、そこで問題になるのが「メディア」に他なりません。その書簡でクライストは、「カントによって引き起こされた危機」を、次のように書いています。

ジュビレ・クレーマー
1951年生まれ。ベルリン自由大学哲学教授。メディア学を専門とし、邦訳書として『メディア、使者、伝達作用』が出版されている。

マンフレート・シュナイダー
1944年生まれ。メディア文化史の研究者で、邦訳として『時空のゲヴァルト』がある。ボーフム大学教授。

ハインリッヒ・フォン・クライスト
ドイツの劇作家、ジャーナリスト。作品に『こわれがめ』などがある。

あらゆる人間が眼の代わりに緑色の眼鏡をかけていれば、それを通して見える対象は緑色であると判断するにちがいないだろう――そして眼は人間に諸事物をあるがままに示しているのか、あるいは諸事物ではなくて眼に属している何かを諸事物に付け加えているのではないかを、人間は決して決めることはできないだろう。悟性の場合がそうである。われわれが真理と呼んでいるものが本当に真理であるのか、それともただそう思われるだけなのか、われわれに決定することができない[11]。

この書簡のなかで想定された「緑色の眼鏡」が、まさしくメディア（媒体）なのです。カントの場合には、「悟性のカテゴリー」がそれに当たりますが、20世紀の言語論的転回の後では、「言語」がそうしたメディアになりました。そして、今や21世紀のポスト「言語論的転回」において、メディア（伝達媒体）として注目されたのが、音声言語や手書き文字、書物や映像、コンピュータなどの**伝達技術**に他なりません。

こうしたメディアが、人間にどんな影響を与えるのかについて、歴史的に探究したのが、フリードリヒ・キトラー*です。キトラーは、１９９８年

フリードリヒ・キトラー
２０１１年死去。ドイツの文芸・メディア評論家。

に『グラモフォン・フィルム・タイプライター』を書いていますが、その書の冒頭で彼は、「われわれのおかれている状況を決定しているものはメディアである」と宣言し、１９００年前後に登場した新たな「メディア」（グラモフォン・フィルム・タイプライター）が人間のあり方をどう変えていったのか論じました。

残念ながら、キトラーは２０１１年に亡くなりましたので、彼自身の「メディア学」をより発展した形で見ることができなくなりました。しかしながら、彼が先駆的に着手した構想は、間違いなく現代哲学の新たな可能性として継承されています。

ベルナール・スティグレール（1952〜2020）

フランスの哲学者。リサーチ&イノベーション研究所所長。稀有な経歴の持ち主で、１９７８年に銀行強盗事件を引き起こし、５年間刑務所に収容された。獄中、哲学を独学し、服役中に通信教育でトゥールーズ大学の学位を取得した。出所した後、デリダの指導のもとで博士論文を執筆した。レジス・ドブレとともに、「メディオロジー」を構想しつつ、それをさらに、ハイデガーの影響を受けながら、「技術」の哲学へとつなげようとした。

第3節 実在論的転回とは何か

21世紀の時代精神とは

21世紀になって、ポスト「言語論的転回」として目立った活動をしているのが、「**実在論的転回**」とでも呼ぶことができる潮流です。ただ、この潮流は若手の哲学者が中心となっていることもあって、まだ翻訳も少なく、今のところ全体像が把握し難い状況です。そのため、ここでは、紹介の意味を込めて、その成立過程に触れておきたいと思います。

マウリツィオ・フェラーリスの『新実在論入門』（2015年）によると、「実在論的転回」が明確な形で現われたのは、カンタン・メイヤスーによる『有限性の後で：偶然性の必然性についての試論』（2006年）からです。「この書物出版の2年後に、きわめて影響力のある運動、つまり思

グレアム・ハーマン
1968年生まれ。アメリカ合衆国出身の哲学者で、アメリカン大学カイロ校教授。思弁的実在論の精力的な紹介者。

弁的実在論の運動が生まれた」のです。

この運動に参加した主要なメンバーは、メイヤスー自身と、3人の思想家たち（グレアム・ハーマン*、イアン・ハミルトン・グラント*、レイ・ブラシエ*）です。彼らの議論については、2011年の論集『思弁的転回』において、確認することができます。

こうした運動とは独立して、フェラーリス自身やドイツの**マルクス・ガブリエル**らによって、「新実在論」と呼ばれる思想も展開されています。ガブリエルの『なぜ世界は存在しないのか』（2013年）によれば、「新実在論は、いわゆるポストモダン以後の時代を示す哲学的立場を記述する」とされます。これを受けて、フェラーリスは2012年に『新実在論宣言』を書き、その立場を簡潔に示しています。

ここでフェラーリスの経歴を見ておくと、彼はイタリアのポストモダン的な思想家、ジャンニ・ヴァッティモ*のもとで学んでいます。ヴァッティモの哲学は「弱い思考」と表現されていますが、すべては解釈であるというニーチェの思想やガダマーの解釈学から影響を受けています。フェラーリスによると、こうしたヴァッティモのもとで学んでいるときでも、「私

イアン・ハミルトン・グラント
イギリスの哲学者。哲学的観念論、現代哲学、科学史・科学哲学、技術哲学などを研究している。

レイ・ブラシエ
1965年生まれ。イギリスの哲学者。実在論についての仕事で知られている。

ジャンニ・ヴァッティモ
1936年生まれ。イタリアの美学者、哲学者、政治家。著作に『弱い思考』などがある。

（フェラーリス）の立場はいつでも実在論的であった」そうです。そのため、ガブリエルと一緒に「新実在論」を宣言したのも、従来の立場の変更というわけではなく、今までの思想の明確化であったようです。

しかし、「思弁的実在論」にしても、「新実在論」にしても、現在あえて**「実在への転回」**を意図するのはなぜでしょうか。注目したいのは、実在論的転回を唱える思想家たちが、二つの重要な傾向をもっていることです。一つは、彼らが総じて、**「ポストモダン以後」**を明確に打ち出していることです。20世紀末に流行したポストモダン思想に対して、その終焉を突きつけたわけです。

もう一つは、ポストモダン思想を、歴史的により広い視野から捉え直したことにあります。実在論者たちによれば、ポストモダンにおいて頂点に達する言語論的転回は、じつを言えば、すでにカントの「コペルニクス的転回」から始まっています。これを示すために、フェラーリスは「フーカント（フーコー＋カント）」という言葉で茶化しています。

さらに、この伝統は、ある意味では近代哲学の創始者デカルトにまで淵源する、とされます。そのため、フェラーリスは「デカント（デカルト＋

カント）」という言葉を語ることもあります。「フーカント」も「デカント」も、存在は思考によって構築されるという「**構築主義**」を戯画的に表現しています。こうした構築主義が、20世紀末のポストモダン思想の本質をなしている、と考えたのです。

21世紀を迎える頃には、ポストモダンの流行も終息していましたが、実在論的転回はそれを思想的に葬り去ろうとしたのです。その意味で、フェラーリスが語るように、現代の実在論的潮流を、「時代精神」と呼ぶことも可能かもしれません。

しかし、注意したいのは、実在論的転回といっても、一枚岩ではなく、それぞれの論者によって内容が違っていることです。

そこで、その思想を理解するには、個々の哲学者たちの議論を取り上げなくてはなりません。ここでは思弁的転回を理解する第一歩として、若きスターであるメイヤスーとガブリエルに焦点を合わせることにしましょう。

人間の消滅以後の世界をどう理解するか

20世紀の後半（70年代以降）、フーコーやデリダやドゥルーズなど、フランスの現代思想家たちが、アメリカで多くの支持を集めました。しかし、21世紀になると、そうした巨匠たちも亡くなり、思想的カリスマが不在となってしまいました。そうした状況で、新たな思想的ヒーローとして登場したのが、**カンタン・メイヤスー**です。彼は、現在パリ第1大学で教鞭をとっていますが、１９６７年生まれとまだ若く、注目されたころは30代でした。

メイヤスーが２００６年に出版し、その後「思弁的実在論」の運動を形成するきっかけになったのが、『有限性の後で』です。この本に対して、フランスの著名な哲学者アラン・バディウ*が序文を書いて、次のように称賛したのです。

今日まで「知るとは何か」についての歴史として考えられてきた哲学の歴史のなかに、カンタン・メイヤスーが新しい道を開いたと述べることは誇張

アラン・バディウ
１９３７年生まれ。フランスの哲学者。独自の研究の他、小説や戯曲も執筆。

ではない。（中略）注目すべきこの「批判哲学の批判」は、本書において過剰な装飾なしに導かれて、格別に明晰で証明的な文体によって本質に切り込んでいる。[12]

こうしたバディウの推薦もあって、メイヤスーは一躍、現代思想界の中心に立つようになりました。では、この本で彼は、何を語ったのでしょうか。彼の基本的な視座となっているのは、**カント以来の近代哲学の中心概念が「相関」になった**という洞察です。その意味を彼は、次のように説明しています。

私たちが「相関」という語で呼ぶ観念に従えば、私たちは思考と存在の相関のみにアクセスできるのであり、一方の項のみへのアクセスはできない。したがって今後、そのように理解された相関の乗り越え不可能な性格を認めるという思考のあらゆる傾向を、相関主義と呼ぶことにしよう。そうすると、素朴実在論であることを望まないあらゆる哲学は、相関主義の一種になったと言うことができる。[13]

メイヤスーによれば、こうした「**相関主義**」は、20世紀の現象学であれ、分析哲学であれ、免れてはいません。そして、言うまでもなく、言語論的転回やポストモダン思想も例外ではありません。メイヤスーはこうした相関主義を乗り越え、思考から独立した「存在」へと向かうのです。その意味で実在論をめざすのですが、かつての「素朴実在論」とは区別されます。むしろ、彼が「実在」と考えているのは、数学や科学によって理解できるものです。その立場を、メイヤスーは「**思弁的唯物論**」と呼びながら、次のように問い直しています。

カント以来、（中略）いったいどうして、哲学は超越論的ないし現象学的な観念論とは反対の道を、すなわち数学がもつ非‐相関的な射程を――言い換えれば、思考を脱中心化する力として正当に理解された科学的事実そのものを――理解することが可能な思考の道を歩まなかったのだろうか。哲学はなぜ、科学を思考するために、思弁的唯物論へと断固として向かうのではなく――そうすべきであったにもかかわらず――前述のような超越論的観念論へ

と力を注ぐことになったのか。(14)

人間の思考から独立した「存在」を考えるために、メイヤスーは人類の出現以前の「祖先以前性」を問題にしたり、人類の消滅以後の「可能な出来事」を想定しています。これらは、「人間から分離可能な世界」として、科学的に考察することが可能でしょう。それなのに、「相関主義」はそのような理解に目を閉ざしてきたのです。

こうして、メイヤスーによれば、カントの超越論的観念論*（認識論的転回）も、20世紀の言語論的転回も、ポストモダン思想も、相関主義に他ならず、批判されなくてはならないのです。しかし、メイヤスーの哲学は、今のところ基本的な視点を提示したにとどまり、そこから具体的にどんな思想を展開していくのか、明らかではありません。それについては、今後の議論を待たなければなりません。

超越論的観念論
カントの批判哲学の立場であり、認識のコペルニクス的転回の後に成立する。「先験的観念論」と呼ばれることもある。

「新実在論」とドイツ的な「精神」の復活?

メイヤスーの「思弁的実在論(唯物論)」といわば呼応するように、ドイツでも「実在論的転回」が提唱されています。その中心的な哲学者が**マルクス・ガブリエル**です。彼は1980年生まれで、まだ40代のはじめですが、現在はボン大学の教授であり、発表した著書はすでに数多く、しばしば「天才」と評されています。

2013年に出版された『なぜ世界は存在しないのか』は、哲学書としては異例のベストセラーとなり、ガブリエルの才能を一般にも知らしめました。これは専門書というより、どちらかといえば、一般読者向けの著作ですが、彼の「新実在論」の構想が、きわめて簡潔に語られています。そこで、この書物を少し見ることにしましょう。

『なぜ世界は存在しないのか』において、ガブリエルは「新実在論」を「ポストモダン以後の時代に対する名前」と呼んでいます。ガブリエルによれば、ポストモダンの問題点は、「構築主義」にもとづくところにあります。そして、この「構築主義」の源泉は、メイヤスーと同じように、カントにあるとされています。

カントの主張によれば、私たちは世界をそれ自体であるがままに知ることができない。私たちが何を知ろうとも、ある点では、いつも人間によって加工されている、とカントは考えた。(15)

こうした思考を説明するため、ガブリエルはクライストの「緑色の眼鏡」(メディア論的転回のパートで先述)の例を引き合いに出した後、次のように続けています。

構築主義はカントの「緑色の眼鏡」を信じている。これに、ポストモダニズムは次のように付け加えた。私たちが身につけているのは、ただ一つの眼鏡ではなく、多くの眼鏡である。科学、政治、愛の言語ゲーム、詩、多様な自然言語、社会的な規約、などである。(16)

こうしたポストモダン的な「構築主義」に対して、ガブリエルは、「**新**

実在論」を提唱するのですが、それはどのような思想なのでしょうか。それを理解するために、ガブリエルが提示した具体的な例を取り上げてみましょう。彼は次のようなシナリオを語っています。

アストリッドがソレントにいて、ベスビオス山を見ているのに対して、私たち（あなたと私）はナポリにいて、ベスビオス山を見ている。(17)

まず古い実在論（これをガブリエルは形而上学とも呼びます）によれば、唯一存在するのはベスビオス山だけです。これが、ある時はソレントから、別のときはナポリから、偶然に見られるわけです。「構築主義」の立場では、三つの対象、つまり「アストリッドにとってのベスビオス山」「あなたのベスビオス山」「私のベスビオス山」だけがあります。それを超えて、対象や物それ自体があるわけではありません。

それに対して、ガブリエルが提唱する「新実在論」は、少なくとも、四つの対象が存在すると考えます。①ベスビオス山②ソレントから見られたベスビオス山（アストリッドの観点）③ナポリから見られたベスビオス山

（あなたの観点）④ナポリから見られたベスビオス山（私の観点）です。彼は、これらすべてが存在すると考えるだけでなく、さらには「火山を見ているときに感じる私の秘密の感覚でさえも事実である」と述べています。

ガブリエルによると、一方の古い実在論は「見る人のいない世界」だけを、他方の構築主義は「見る人の世界」だけを、それぞれ現実と見なしています。それに対して、ガブリエルは次のように述べて、自らの「新実在論」を正当化しています。「世界は、見る人のいない世界だけでもなければ、見る人の世界だけでもない。これが新実在論である」。

こうして、**ガブリエルの「新実在論」は、物理的な対象だけでなく、それに関する「思想」「心」「感情」「信念」、さらには一角獣のような「空想」さえも、存在すると考える**のです。その点では、「実在論」の一般的なイメージとは、いささか離れていると言えます。それでは、このように存在する対象を広げることによって、ガブリエルは何を意図しているのでしょうか。

それについては、２０１５年に出版された『私（自我）は脳ではない

――21世紀のための精神哲学』のタイトルが示唆しています。その本でガブリエルは、精神を脳に還元してしまうような、現代の「自然主義」的傾向を批判しています。そうした「自然主義」によれば、存在するのは、物理的な物やその過程だけになり、それ以外は独自の意味をもたなくなります。こうした動きに対して、ガブリエルの「新実在論」は原理的な次元から再考しようとしているのです。

実在論といったとき、もしかしたら、科学的な対象だけを存在すると見なす「自然主義」が想定されるかもしれません。しかし、ガブリエルが構想する「新実在論」は、そうした科学的な宇宙だけでなく、心（精神）の固有の働きをも肯定するものとなっています。

カンタン・メイヤスー（１９６７〜）

フランスの哲学者。高等師範学校でアラン・バディウの指導を受け、ポスト構造主義以後の哲学者として、現在最も注目されている哲学者である。処女作である『有限性の後で』を２００６年に発表し、英語圏の若手思想家たちに大きな影響を及ぼし、彼を中心に「思弁的実在論」のサークルが出来上がった。デリダがアメリカでデビューした状況と似ている、と指摘されることもある。今後の展開が楽しみな思想家である。

マルクス・ガブリエル（１９８０〜）

ドイツの哲学者。29歳でボン大学の教授に就任し、現在すでに10冊以上の著作があり、その才能を評して「天才」と呼ばれることもある。ドイツ観念論の哲学を専門とするが、英米の分析哲学、フランスの構造主義・ポスト構造主義にも精通している。古代ギリシア以来の哲学の伝統を理解したうえで、広範な知識にもとづいて現代哲学に新たな地平を切り開こうとしている。イタリアのフェラーリスとともに「新実在論」を提唱し、世界的なサークルを形成しようとしている。その宣言書ともいうべき『なぜ世界は存在しないのか』は、２０１３年に出版され、哲学書としては異例のベストセラーとなっている。

第4節 自然主義的転回とは何か

心を消去することはできるか

「新実在論」のガブリエルは、現代の自然主義的な哲学の傾向に対して、批判的な態度をとっています。しかし、そもそも科学にもとづく自然主義を、どう考えたらいいのでしょうか。それを理解するために、もう一つのポスト「言語論的転回」である認知科学的な「**自然主義的転回**」を取り上げようと思います。

まず、その特徴的な傾向を知るために、カリフォルニア大学サンディエゴ校教授ポール・M・チャーチランド*の論文「消去的唯物論と命題的態度」（1981年）を見ることにしましょう。その論文で、彼は「素朴心理学」と呼ばれる心理に対する常識的な考えを批判し、神経科学などの認知科学

ポール・M・チャーチランド
1942年生まれ。アメリカで働くカナダの哲学者で、心の哲学、神経哲学が専門。カリフォルニア大学サンディエゴ校名誉教授。

的理論に置き換えようとしています。
チャーチランドの主張を見る前に、あらかじめ「素朴心理学」と呼ばれているものを確認しておくことにしましょう。彼は、次のように述べています。

ふつう人間は驚くほど容易にかつ首尾よく他者の行動を説明できるばかりか、さらに予測までもできる。そのような説明や予測の際に、われわれは標準的には、行為者がもつとされる欲求や信念、恐怖、意図、知覚などに言及する。しかし、説明は法則を――少なくとも大雑把な法則を――前提とする。（中略）この知識の総合体を、その本性と機能を考慮するならば、「素朴心理学」と呼ぶのがまさしく適切だろう。(18)

この心理学が「素朴心理学」と呼ばれるのは、学問的に形成された心理学ではなく、人間が子どもの頃から身につけた、他人や自分の心にかんする理解だからです。チャーチランドは、この「素朴心理学」に対して、その原理が根本的に誤っていると批判し、その代替案として、次のように述べています。

自然誌と物理科学の観点からホモ・サピエンスにアプローチするならば、われわれは人間の組成、発達、行動能力に関して、素粒子物理学、原子・分子理論、有機化学、進化論、生物学、生理学、そして唯物論的な神経科学を含む整合的な物語を語れる。(中略)われわれは今や人類史におけるもっとも偉大な理論的綜合を手にしており、その一部はすでに人間の感覚入力、神経活動、そして運動制御に関する綿密な記述と説明を与えているのである。(19)

チャーチランドがこの論文を書いたとき、神経科学はまだそれほど発展していたわけではなく、まだ希望的予測にすぎませんでした。しかし、その後の脳科学や人工知能研究などの発達によって、より具体的な議論が展開できるようになっています。『認知哲学——脳科学から心の哲学へ』(1995年)において、チャーチランドはやや興奮気味に語っています。

脳はどのように働いているのだろうか。いかにして脳はものを考え、感じ、夢を見る自我を維持し、自己意識をもった人の支えとなっているのであろうか。**神経科学や近年の人工ニューラルネットワーク研究から得られた新たな成果**は、こうした問題に一群の統一的回答を提示している。（中略）本書執筆の動機は、何をおいても、今まさにその姿を現しつつある新たな描像と、長年の神秘に対する新たな説明の可能性を前に、わたしがただひたすら興奮を覚えていることにある。だが、これはわたしひとりに限ったことではあるまい。今、いくつもの学際的分野が高揚的雰囲気に満ち溢れている。[20]

こうして、チャーチランドによると、神経科学や情報科学、人工知能研究など学際的な認知科学の興隆によって、今まで神秘的だった**「心」に対する理解の可能性が、大きく広がり始めた**わけです。

拡張される「心」

チャーチランドの「認知科学論的転回」と協同しつつ、新たな方向へ向かっているのがエディンバラ大学教授（当時）アンディ・クラーク*です。

アンディ・クラーク
1957年生まれ。サセックス大学認知哲学教授であり、認知科学、心の哲学を専門としている。

クラークは1998年に、デイヴィッド・J・チャーマーズ*（『意識する心』の著者）と共著で論文「拡張された心」を発表し、心に関する新たな見解を提示しています。

人間は外的な存在と、二つの仕方のインタラクションにおいて連結し、一つの統一的なシステムを作り出している。そのシステムは、それ独自の認知システムとして理解され得る。そのシステムの諸成分は、能動的な因果的役割を果たし、通常の認知と同じ種類の仕方で、連結的に行動を支配する。もし、外的な成分が取り除かれるとすれば、脳の一部を取り除かれたときと同じように、システムの行動的な能力は低下するだろう。われわれのテーゼによれば、全体として頭の中にあろうとなかろうと、このような連結し統一したプロセスは、認知プロセスとまったく同じように見なされる。[21]

ここでクラークとチャーマーズが提唱しているのは、「心」を頭の中に閉じ込めず、むしろ身体やその周りの環境との相互連関において理解しよう、というものです。つまり、論文のタイトルにもなっていますが、「**拡**

デイヴィッド・J・チャーマーズ
1966年生まれ。オーストラリアの哲学者。心の哲学の分野における指導的な哲学者のひとり。

張された心」というテーゼです。こうした立場を、彼らは能動的外在主義と名づけています。心のあり方や働きを頭の中に閉じ込める「内在主義」ではなく、自分の身体や周りの環境と連結し働く「外在主義」なのです。

一見したところ、「心」を外部にまで拡張させることは、あまり馴染みがないかもしれません。しかしながら、たとえば、計算するときを考えてみれば、それほど不思議なことではないでしょう。一ケタの足し算や掛け算であれば、頭の中で処理できますが、3ケタや4ケタになると、紙と鉛筆を使って計算せざるをえません。つまり、計算するという「心」の働きは、紙と鉛筆、それから書くという身体の動きと連動してはじめて可能になるわけです。この点を確認して今引用した文章を読むと、その言わんとすることが分かるはずです。

こうした考えにもとづいて、クラークは1997年に『現れる存在』を出版しています。原題の『Being There』というのは、ハイデガーが1927年に出版した『存在と時間』のなかで、人間のあり方を表現する言葉として提示したドイツ語（Dasein「現存在」）の英訳です。

ですから、クラークの本は、まさに人間のあり方（現存在）を捉え直したものですが、副題に示されているように、人間を「脳と身体と世界」の連結されたシステムにおいて理解しようとします。この考えの意義を、クラークは次のように力説しています。

脳は身体化された活動のコントローラーだと考えても、それ以上の実りはないと思われるかもしれない。だがこの小さな視点の転換は、心の科学を構成していくに当たって大きな影響を及ぼす。実はこのことによって、知的行動についての考え方を全面的に刷新する必要が生じるのである。われわれは以下のような考え方を捨て去る必要がある。(デカルト以来一般的な)心の領域と身体の領域の区別。知覚/認知/行為を整然と分割する線。高次レベルの推論を働かせている脳の執行中枢。そして何より、思考と身体化された行為とを人為的に分離する研究手法を捨て去る必要があるのだ。そうして現れるのは、まさしく新しい心の科学である。(22)

こうしたクラークの議論は、人間や環境、そして社会に対する従来の理解を、根本的に覆すものになっています。そのため、彼が打ち出した考えは、哲学に対して新たな視点を提示するだけでなく、人文科学や社会科学にも新たな可能性を開きつつあるようです。

道徳を脳科学によって説明する

哲学の「自然主義的転回」を示す、もう一つの方向を見ておきたいと思います。それはジョシュア・グリーン*の研究ですが、より具体的には第3章で紹介します。その研究活動を見ると、哲学は今や心理学や脳科学と密接に連携するようになっているのです。

大学・大学院時代に、彼はアマルティア・セン*やピーター・シンガー*といった著名な哲学者のもとで学んでいます。その後、彼は心理学研究の道に進み、脳科学の手法を習得して、脳がどのように「心」になるかを解明するようになりました。

グリーンを一躍有名にしたのは、いわゆる「トロッコ問題」と言われる二つの事例に対して、fMRIを使った脳画像法からアプローチしたことです。5人を救うか、1人を救うかという同じ問題なのに、状況が変わる

ジョシュア・グリーン　ハーバード大学心理学教授。実験心理学、神経科学、哲学を横断するような研究を行なっている。

アマルティア・セン　239ページ参照。

ピーター・シンガー　1946年生まれ。オーストラリアの哲学者、倫理学。タイム誌によって「世界の最も影響力のある100人」の一人に選出。

と判断が異なるのはなぜか――「トロッコ問題」で繰り返し議論されてきました。それに対して、グリーンは、脳画像法によって、脳の働く場所がどう違うかを、明確に示したのです。

グリーンの研究が画期的なのは、善いか悪いかという道徳的な判断が、脳のどのような構造や働きによって引き起こされるのか、実証的な形で論証したことにあります。こうして、今まで論じられてきた**道徳問題が、脳科学によって実証的に解明できる**ようになったのです。

しかしながら、この考えに対しては、哲学者からの強い批判も出されています。グリーンが出版した『モラル・トライブズ』（2013年）に対して、ニューヨーク大学教授トマス・ネーゲル*は書評を書いていますが、そのタイトルは「あなたは脳スキャンから道徳について学ぶことができない――道徳心理学の問題」という挑戦的なものです。ネーゲルはその書評で次のように述べています。

> グリーンは私たちを、道徳心理学が道徳哲学より根本的である、と説得したがっている。（中略）グリーンはある古い問題と格闘しているが、彼の心理

トマス・ネーゲル
1937年生まれ。アメリカの哲学者。専門は政治哲学、倫理学、認識論、心の哲学。主な著作に『どこでもないところからの眺め』がある。

学的アプローチによっては、その問題を解決することができない[23]。

こうした批判にもかかわらず、グリーンの研究が道徳哲学に衝撃を与えたのは間違いありません。というのも、この研究を機縁にして、「ニューロ・エシックス」という学問が大きく発展することになったからです。それについては、オーストラリアの哲学者ニール・レヴィ*が2007年に出版した『ニューロ・エシックス――21世紀への挑戦』を見るとよく分かります。グリーンの研究以後、道徳を神経科学によって説明するという研究が、明確に主張されるようになったのです。

また、他の研究分野への広がりも、確認しておかなくてはなりません。『モラル・トライブズ』のなかでも言及されていますが、グリーンの研究は、ノーベル経済学賞を受賞したダニエル・カーネマンの「行動経済学」にもつなげることができます。脳画像法によって、人間の経済行動がどこまで説明可能になるのでしょうか。こうした「神経経済学」は「神経倫理学」と同じように、まだ緒についたばかりですが、新たな可能性として確認しておきたいと思います。

ニール・レヴィ
オーストラリアのマッコーリー大学哲学教授。神経倫理学を専門として、オックスフォード大学でも教えている。

このような研究の広がりは、経済だけでなく、人間のあらゆる活動、心的働きにまで及ぶはずです。現在はまだその萌芽にすぎませんが、やがて具体的な科学的研究と協同して、大きく飛躍するのではないでしょうか。

20世紀以降の哲学の動向

18世紀 構築主義・相関主義(コペルニクス的転回)

↓

20世紀 言語論的転回

- 分析哲学
  プラグマティズム
- 構造主義
  ポスト構造主義
- フランクフルト学派
  解釈学
  コミュニケーション理論

↓

ポストモダン

↓

ポストモダン以後へ

21世紀 ポスト言語論的転回

実在論的

諸学問

認知科学、情報科学、
生命科学、環境科学、
法・政治・経済・社会学、
芸術・宗教

自然主義的

メディア・技術論的

本章をより理解するための ブックガイド

偶有からの哲学―技術と記憶と意識の話

ベルナール・スティグレール著（2009年／浅井幸夫訳／新評論）

スティグレールの思想を本格的に理解するには、大著『技術と時間』（現在第３巻まで出版翻訳されている）をじっくりと読まなくてはならないが、その基本構想を知るためには『偶有からの哲学』を読むのがいい。これを読んだ後で、『象徴の貧困』を読むと、彼の思想のアクチュアリティが実感できるだろう。また、稀有な経歴については、『現勢化』が参考になる。

モノたちの宇宙:思弁的実在論とは何か

スティーブン・シャヴィロ著（2016年／上野俊哉訳／河出書房新社）

最近流行し始めている「思弁的実在論」について、概説的な展望を提供してくれる書物。まだ馴染みのない思想なので、シャヴィロのこの本から「思弁的実在論」に入るのがいいだろう。この後で、メイヤスーの『有限性の後で』を読めば、ずいぶん理解が広がるはずだ。

なぜ世界は存在しないのか

マルクス・ガブリエル著（2018年／清水一浩訳／講談社）

哲学の専門知識をもたない読者に向けて、「新実在論」の構想を平易に語り、ベストセラーになったもの。原著はドイツ語で出版され、すぐに英訳されている。ドイツ語に馴染みのない人は、この英訳版を読むと、その哲学の全体像が見えてくる。スラヴォイ・ジジェクと共著で出版した『神話・狂気・哄笑―ドイツ観念論における主体性』が2015年に邦訳され、付録に講演「なぜ世界は存在しないのか」が掲載されている。

ポストモダン以後の現代思想を、トータルな視座から紹介した書籍はまだない。それぞれの流派の内部で、個別的に論及されている程度である。ポスト言語論的転回という点では一致しているが、相互に対立した主張もあり、簡単にまとめることはできない。そのなかで、ポストモダンとの対比を明確に打ち出しているのは、「新実在論」の思想家たちだ。ここには挙げていないが、マウリツィオ・フェラーリスの『新実在論入門』（未邦訳）を読むと、その辺りの事情が理解できる。また、上で紹介できなかったが、自然主義的転回に属するものとして、フレッド・ドレツキ『心を自然化する』（勁草書房、原著1995年）を挙げておきたい。同じ自然主義でも、トーマス・メッツィンガー『エゴ・トンネル』（岩波書店、原著2009年）は、やはりドイツ的な本である。技術の哲学については、ハイデガー（『技術への問い』）やハーバマス（『イデオロギーとしての技術と科学』）のものがあるが、ジルベール・シモンドン『技術的対象の存在様態について』（1958年）の邦訳がないのは残念である。日本語で読める技術論としては、アンドリュー・フィーンバーグ『技術への問い』（岩波書店、原著1999年）がまとまっている。

第2章

ＩＴ革命は人類に何をもたらすのか

第1節

人類史を変える二つの「革命」

20世紀の後半、人類史を決定的に転回させる、二つの技術的な変化が起こりました。一つは**BT（バイオ・テクノロジー）革命**、もう一つは**IT（インフォメーション・テクノロジー）革命**と呼ばれています。始まった当初、この革命がどんな地平を切り拓くのか、よく分かりませんでした。しかし、21世紀になると、その射程が少しずつ見えてきました。BT革命については、次の章で考えることにして、本章ではIT革命にテーマを絞ることにします。

一般的に考えても、技術（テクノロジー）が人間の社会生活に影響を与えることは、当然のように思えます。ところが、今日進行中のIT革命は、社会の単なる周辺的な現象ではなく、むしろ時代の中心的な出来事なのです。たとえば、フランスの哲学者ジル・ドゥルーズ*は、機械のタイプの変

ジル・ドゥルーズ
20世紀のフランス現代哲学を代表する哲学者。著作に『差異と反復』『意味の論理学』などがある。

化に合わせて、次のような歴史的変化を描いています。

それぞれの社会に機械のタイプを対応させることは容易だ。しかしそれは機械が決定権をにぎっているからではなく、機械を産み出し、機械を使う能力をそなえた社会形態を表現しているのが機械であるからにすぎない。昔の君主制社会は、梃子とか滑車とか時計仕掛けなど、シンプルな機械をあやつっていた。ところが近代の規律社会はエネルギー論的機械を装備していた。（中略）ところが（現代の）管理社会は、第3の機械を駆使する。それは情報処理機器やコンピュータである。(1)

やや違った視点から、ドイツの哲学者ノルベルト・ボルツ*は『グーテンベルク銀河系の終焉』（1993年）のなかで、現代社会について、近代を導いてきたメディアの終わり、つまり「グーテンベルク銀河系の没落、書物文明の終焉」の時代と呼んでいます。彼は現代を、新しいメディアとして「コンピュータ・テクノロジー、（磁気）記録媒体や巨大通信網などが登場する時代」と考えます。グーテンベルクの活版印刷が近代を画定し

ノルベルト・ボルツ 1953年生まれ。ドイツの哲学者。専門はメディア理論研究。著作に『世界コミュニケーション』などがある。

たとすれば、現代人はまさに「ポスト活版印刷的人間」と規定されるのです[2]。

ドゥルーズとボルツは、近代を異なる仕方で規定していますが、現代をコンピュータと通信ネットワークの時代と理解する点では一致しています。彼らが議論していた頃、コンピュータも通信ネットワークも、私たちの日常生活には、それほど浸透していませんでした。ところが今や、パソコンやインターネットが一般にも普及し、さらには子どもでさえスマートフォンを持ち歩くようになったのです。こうして、コンピュータと通信ネットワークは、現代において、ごくありふれた風景になっています。

では、こうしたＩＴ革命によって、いったいどんなことが進行しているのでしょうか。たとえば、人工知能（ＡＩ）の研究者で未来社会へ重要な提言をしているレイ・カーツワイル*は、「技術的特異点（シンギュラリティ）」という概念を提唱し、２０４５年には人工知能が人間の知能を超える、と力説しています。また、著名な物理学者のスティーブン・ホーキング博士は、２０１４年5月の「インディペンデント」紙において、完全な人工知能が開発されれば、「**人類の終焉につながる**」とまで警告してい

レイ・カーツワイル
１９４８年生まれ。アメリカの発明家、実業家、フューチャリスト。人工知能研究の世界的権威。

ます。

このような予言や警鐘を、どこまで真剣に受け取るかについては、意見が分かれます。しかし、少なくともＩＴ革命と呼ばれる技術的な変化が、現代社会に決定的な影響を及ぼしていることは異論がないと思います。問題は、この革命が私たちをどこへ導こうとしているのか、ということです。

SNSは独裁国家を倒せるのか？

まず、ＩＴ革命が社会に大きな影響を与えた、最近の出来事から始めることにしましょう。２０１０年にチュニジアから始まり、その後エジプトへと飛び火し、やがてアラブ世界全体へと波及した民主化運動（いわゆる「アラブの春」）のことは、まだ記憶に新しいのではないでしょうか。

この民主化運動のとき、FacebookやTwitterをはじめとしたＳＮＳが決定的な役割を果たした、と言われています。ＩＴ革命が社会変革を可能にした出来事と見なされているのです。

発端となったチュニジアの革命を振り返ってみましょう。その革命は、失業中だった一人の青年が、路上で野菜を販売していたところ、販売に許可がないとして役人に商品を没収されたことから始まりました。青年は、それに対する抗議として焼身自殺を図ったのですが、この自殺について新聞やテレビなどの既存のメディアは取り上げませんでした。

ところが、その現場に居合わせた人(いとこ)が、携帯電話で動画を撮影し、それをFacebookにアップロードしたのです。そして、この動画を多くの人が見ることによって、民衆の怒りが爆発することになりました。

これとともに、チュニジアの民主化運動には、政府などの秘密情報を暴露するサイト「ウィキリークス」も、大きな影響を与えました。チュニジアでは、ベン・アリーが1987年に大統領に就任して以来、その家族、親族、友人などを優遇していたのですが、この内情をウィキリークスはインターネットで暴露したのです。

こうした情報もまた、新聞やテレビでは伝えられませんでした。アラブ世界の中で、チュニジアはインターネットに接続しやすい環境でしたので、こうしたウィキリークスの情報によって、国民の意識が大きく変わったのです。

このように考えると、インターネット、（撮影機能付き）携帯電話、Facebook や YouTube などがなかったならば、チュニジアの革命は起きなかった、と言えるかもしれません。この状況はエジプトの場合も同様です。つまり、インターネットのブログ、Facebook や Twitter などによって、デモが組織され、ついにはエジプトの独裁的なムバラク政権が倒れたのです。とすれば、**IT革命が民主化を可能にした**ように見えるのではないでしょうか。

この見方は、たとえば総務省の平成24年版情報通信白書でも表明されています。ドバイの政府系シンクタンク（ドバイ政府校）のレポートを援用しながら、次のように述べられています。

> チュニジアで発生した「ジャスミン革命」以降のデモ活動について、（中略）ソーシャルメディアにおいて参加の呼びかけが行われている。アラブ地域での抗議の呼びかけの多くは、主として Facebook によりなされており、同校では、「Facebook が、人々が抗議行動を組織した唯一の要因ではないが、それらの呼びかけの主たるプラットフォームとして、運動を動員した要因であ

ることは否定できない。」とし、「Facebook の浸透度が低い国においても、活動の中核にいる人々が他のプラットフォームや伝統的な現実世界の強固なネットワークを通じてより広いネットワークを動員する有益なツールであった。」としている。(3)

こうした理解は、いわば伝説のようになりましたが、現在では異論も多く提出されています。たとえば、金曜日に行なわれる民衆の伝統的な集団礼拝、衛星放送の「アルジャジーラ」なども、抗議運動に大きな影響を与えた、と言われています。そのため、SNS革命といった表現は、誇張されすぎているかもしれません。じっさい、民主化運動のその後の動向を見ると、SNSの影響については検討が必要だと思います。

スマートフォンの存在論

「アラブの春」でSNSがどれほどの役割を果たしたのかは疑問が残りますが、それでもインターネットやモバイルの端末が華々しく活用されたのは確かなことです。もしインターネットがなかったならば、そしてまた（撮影機能付き）携帯電話（スマートフォンとしておきます）が普及していなかったならば、アラブの民主化運動は始まらなかったのではないでしょうか。一人の青年が焼身自殺しても、その場で撮影されず、またFacebookやYouTubeにも、アップロードされることはなかったわけです。

そこで、「アラブの春」から少し離れて、スマートフォンのあり方に目を向けてみたいと思います。というのも、現在の日常的な場面でも、スマートフォンの利用は目を見張るものがあるからです。たとえば、電車に乗ると、ほとんどの人がスマートフォンの画面に見入っています。今では、大人も子どもも、四六時中スマートフォンをいじっています。この事態を、いったいどう理解したらいいのでしょうか。スマートフォンは私たちにとって、どのような意味をもっているのでしょうか。

ここで、第1章でも紹介したイタリア現代哲学の旗手**マウリツィオ・フェラーリス**の**「ドキュメント性」**という概念に注目したいと思います。というのも、フェラーリスはスマートフォンのあり方を哲学的に分析して、「ドキュメント性」という概念で表現したからです。

フェラーリスは、かつてマーシャル・マクルーハン*が「メディア論」で提示した予言を取り上げます。マクルーハンによれば、現代はグーテンベルクの活版印刷（書物）の時代が終わり、映像や音声（テレビや電話）の時代に突入しています。そのため、一般にも、書くことの時代が終わったと信じられるようになりました。近代が「書物」の時代とすれば、現代は「音声・映像」の時代というわけです。その象徴が携帯電話と言えるかもしれません。固定電話と違って、いつでもどこでも、相互に話し合うことが可能になったのです。

ところが、フェラーリスは、このマクルーハンの規定に異を唱え、現代はむしろ、マクルーハンの予言とは反対の方向、つまり「**書くことのブームへと向かっている**」と考えます。現代の携帯電話は、たんに話すためだけでなく、メールを書いたり、Twitter に書き込んだり、ネット情報を読んだり、映像や音楽をアップ・ダウンロードしたりするために使われています。

マーシャル・マクルーハン
1980年死去。カナダ出身の英文学者、文明批評家。主な著作に『グーテンベルクの銀河系』がある。

少しずつ、私たちは話すのをやめ、書き始めた。今や一日中書いている。私たちの電話で書いていないときは、電話で読んでいる。じっさい、携帯電話は、私たちが読んだり書いたりするのを容易にするために、より大きくなった。そして、私たちが読みも書きもしていない稀なときには、私たちは記録している（写真を撮ったり、ヴィデオを撮影したり、メモを取ったり等している）(4)。

こうした理解にもとづいて、フェラーリスは、現代のスマートフォンが、もはや話すためのものではなくて、「書き、読み、記録するための機械」になっている、と述べています。この規定は、今日のスマートフォンのあり方から言えば、きわめて妥当だと言えますが、それをフェラーリスはさらに、「ドキュメント性」という概念で表現しています。「書くことのブームは、私が〈ドキュメント性〉と呼ぶものの重要性のもっとも意義深い証拠の一つである」。

では、この「ドキュメント性」には、どのような特質があるのでしょうか。フェラーリスは、次の3点を挙げています。一つ目は**公共的なアクセ**

ス可能性、二つ目は**消滅せずに生き残ること**、三つ目は**コピーを生み出せることとです**。そこでためしに、これを「アラブの春」の運動に当てはめてみましょう。

まず、青年の焼身自殺は映像として記録され、青年は死亡しても生き残ると言えます。この映像は、ネットにアップされることで、公共的にアクセス可能なものとなります。また、この映像が、Facebook や Twitter などでコピーされて、多くの人に拡散していったわけです。これは、話す機能だけの携帯電話では不可能ですし、たんにカメラに収めるだけでも可能とはなりません。むしろ、「ドキュメント性」を中心的な機能とするスマートフォンだからこそ、可能になったと言えます。したがって、スマートフォンがなかったならば、「アラブの春」は始まらなかったかもしれません。

SNSは市民のためのメディアではない？

そこで、もう一度「アラブの春」に戻って、SNSの果たす役割を考えてみましょう。社会学者のジグムント・バウマン*とデイヴィッド・ライアン*が対談した本のなかで、ライアンは次のような問いを提起しています。

ソーシャルメディアは2011年に起きた「アラブの春」やウォール街占拠運動など、数多くの抗議活動や民主化運動の中で華々しく活用されました。これによって当局が抗議活動への参加者を追跡し続けられるようになったことも事実ですが、それでソーシャルメディアの社会的な組織化に対する有効性は帳消しになってしまうのでしょうか？(5)

ここでライアンが指摘しているのは、**ソーシャルメディアの危険性**です。たとえばFacebookは、インターネットで自分の情報を公開して、多くの人がその情報を共有し、ネットワークが形成されるシステムです。しかも、その情報は、実名で登録されるようになっています。

しかし、そうしたシステムは、反政府運動を行なうときは、きわめてリスキーと言わなくてはなりません。危険人物が特定されると、そこから人脈をたどって、芋づる式にキャッチできるからです。政府の警察は、血眼

ジグムント・バウマン
2017年死去。ポーランドの社会学者。今日のポストモダン社会の考察を深めるマルチ・リンガルの知識人。

デイヴィッド・ライアン
1948年生まれ。カナダの社会学者。監視社会の問題を研究。

になってサイバー空間を取り締まっていますから、Facebookを政治活動に利用する方がいいのか、疑問と言えます。

これはYouTubeにかんしても同じことが言えます。実際に起きたことですが、市民がネットにアップした映像で、反政府活動に参加した人の名前が特定され、逮捕されたことがあります。ですから、無防備に人物の映像をネットで公開することは、避けなくてはなりません。

ご存じのように、警察自身が、市民を取り締まるために、反政府デモなどは常々撮影しています。ところが、市民が自らネットに映像を投稿してくれるのですから、警察にとっては飛んで火に入る夏の虫といったところでしょうか。

ここから分かるのは、SNSは民主化のツールというだけでなく、**監視の手段としても利用される**ことです。とすれば、民主化運動のなかで、SNSの果たした役割を過大評価するのは、控えなくてはなりません。一方で、民衆が情報を発信するためには、さまざまな通信手段を使わざるをえません。しかも、それが映像であったり、身近な人物であったりすれば、より一層効果的となるでしょう。ところが、こうした手段は、民衆を監視する方法としても、かなり有効に働くのです。

このように見ると、先ほどのライアンの問いに対して、バウマンが次のように答える意味を理解できると思います。「あなたのおっしゃっていることは、一本のナイフはパンを切るためにも喉を切るためにも使用できるということですね。（中略）その指摘はまったく正しいと思います」。そうだとすれば、ＩＴ革命と呼ばれる出来事にも、違った見方が必要となるのではないでしょうか。

マウリツィオ・フェラーリス（1956〜）

イタリアの哲学者。トリノ大学教授。学生時代にポストモダン的哲学者ジャンニ・ヴァッティモのもとで学び、ポスト構造主義のジャック・デリダからも影響を受けている。そのため、初期の頃はポストモダニストのように見えたが、本人によれば、その間もずっと実在論的思想をもっていた。最近では、ドイツのマルクス・ガブリエルとともに、「新実在論」を提唱し、21世紀の哲学を構想している。

第2節

監視社会化する現代の世界

「マイナンバー制」は監視社会を生むのか

２０１６年、日本では「マイナンバー制」*が導入されましたが、その社会的、政治的、文化的な意味については、あまり注目されなかったように思えます。しかし、それは「ＩＴ革命」がどこへ向かうかを考えるとき、きわめて重要な役割をもっています。たとえば、スロベニア出身の哲学者スラヴォイ・ジジェク*による、次のような指摘を読むと、安穏としていられません。

いまやほとんど忘れられてしまったオーウェルの〈**ビッグ・ブラザー**〉という概念が生活のデジタル化の生み出した脅威によって近年息を吹き返して

マイナンバー制
個人番号。国民一人ひとりが持つ12桁の番号からなる。

スラヴォイ・ジジェク
１９４９年生まれ。スロベニアの哲学者。ラカン派精神分析家。若手思想家たちのリーダー的存在。

いる。（中略）実際、われわれの日常生活のデジタル化は〈ビッグ・ブラザー〉的コントロールを可能にしており、これにくらべれば、かつての〈共産主義〉秘密警察による監視など、幼稚な子どもの遊びに見えてしまう。(6)

念のため補足しておきますと、「ビッグ・ブラザー」というのは、小説家のジョージ・オーウェルが『1984年』のなかで形象化したものです。オーウェルは、戦前の全体主義国家をモデルにして、国民の一人ひとりの言動が詳細に監視される社会を描きました。その社会の指導者が「ビッグ・ブラザー」なのですが、最近ではパロディー化されて、家の中に監視カメラをつけて家族の動向を見る、TVのリアリティ番組のタイトルにもなっています。

現代のマイナンバー制がこうした〈ビッグ・ブラザー〉型になるかどうかは別にして、ここであらためて「監視社会」の問題を考えてみたいと思います。

「監視社会」という言葉を、小説の世界ではなく、哲学において鮮明に打ち出したのは、フランスの哲学者ミシェル・フーコーの『監獄の誕生――

監視と処罰』（1975年）です。フーコーはこの書で、イギリスの功利主義哲学者ジェレミー・ベンサムが考案した監獄「**パノプティコン**（一望監視施設）」にもとづいて、近代社会のあり方をパノプティコン社会と見なしたのです。このパノプティコンを、フーコーは次のように説明しています。

（パノプティコンは）塔のてっぺんからそれを囲んで円形に配置された囚人用監房を監視するといった建築プランで、逆光になっているので相手に見られることなく、中央から一切の状況や動きを監督できるというものです。権力は姿を消し、二度と姿を現さないが、存在はしている。たった一つの視線が無数の複眼になったも同然で、そこに権力が拡散してしまっているわけです。現代の、それも「モデル」と称されている最新の刑務所でさえ、多くはこの原理の上に成り立っています。(7)

フーコーによれば、刑務所だけでなく、近代社会全体がこうしたパノプティコン型をしているのです。「現代の税制、精神病院、情報ファイル、

パノプティコン

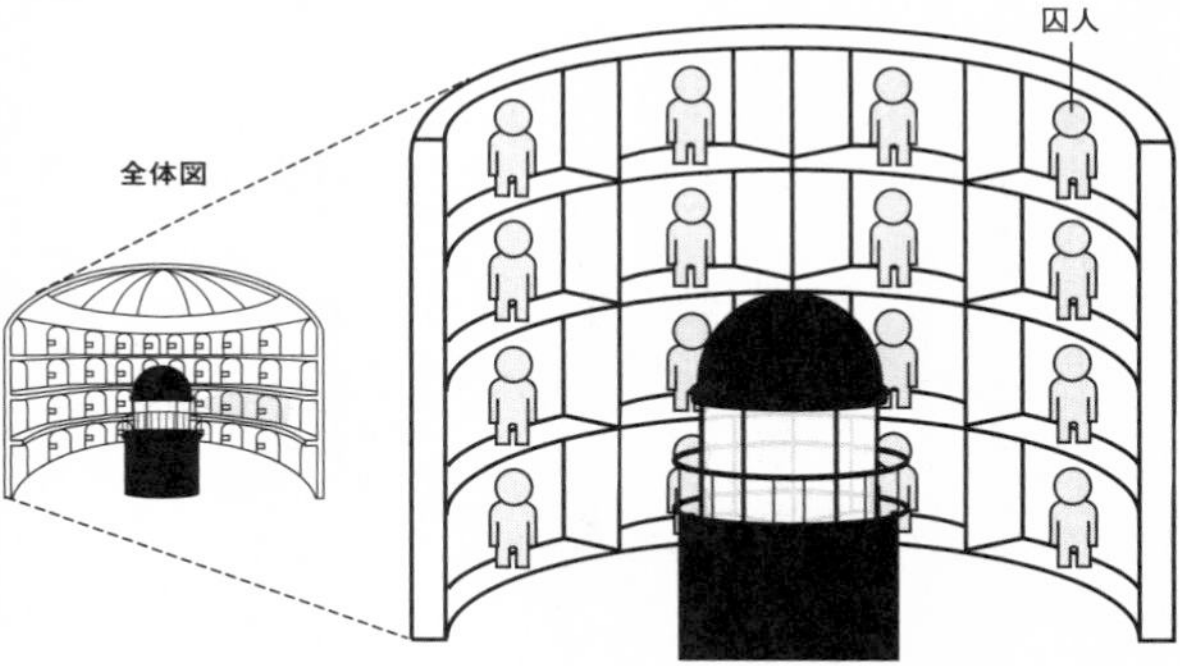

テレビ網、その他われわれを取り巻く諸々の技術も、パノプティコンを応用し具体化したものです」。このフーコーの考えからすると、近代社会だけでなく、現代もまた「パノプティコン社会」と呼ぶことができそうです。

このパノプティコン社会を理解するとき、重要な特徴が二つあります。一つは**「監視する者」と「監視される者」の非対称性**です。「監視される者」は常に見られ、その行動が詳細に記録されます。それに対して、「監視する者」は、姿を消し相手からは見えません。そのため、人々は監視の目を常に意識し、生活することになります。もう一つの特徴は、**「監視」によって人々が規律訓練（あるいは調教）されること**です。いつでも監視されているという意識があるために、人々は秩序を乱したり、自分勝手な行動をとったりしなくなります。そんなことをすれば、社会から排除されることになりますので、社会でうまくやっていくために、従順な「主体＝臣民」となっていくのです。

ＩＴが生み出した自動監視社会

フーコーの「監視社会」の概念は、発表された当時（１９７０年代）としては、きわめて斬新に見えました。ところが、現代の状況からすると、そのままでは古く、いろいろ手直しが必要になります。その一つが、「デジタル化」の問題です。フーコーのモデルでは、監視の技術はいわば「アナログ」的なもので、記録も文書によって蓄積されていきます。ところが、現代社会では、生活がすっかりデジタル化されてしまいました。

こうした状況を踏まえて、アメリカのメディア学者マーク・ポスター*は

マーク・ポスター
現代アメリカの歴史学者。専門は20世紀ヨーロッパ思想史、批判理論、メディア学。

『情報様式論』（1990年）のなかで、フーコーのパノプティコンを現代風に読みかえて、**「スーパー・パノプティコン」**という概念を提唱しています。

現在の「コミュニケーションの流通」やそれが作りだすデータベースは、一種の〈スーパー・パノプティコン〉を構築している。それは壁や窓や塔や看守のいない監視のシステムである。（中略）社会保障カード、運転免許証、クレジットカード、図書館カードのようなものを個人は利用し、つねに用意し、使い続けなくてはならない。これらの取引は記録され、データベースにコード化され加えられる。（中略）諸個人は、情報の源泉であると同時に、情報の記録者でもあるのだ。ホーム・ネットワーキングはこの現象の最適化された頂点を作りだす。(8)

たとえば、パソコンやスマートフォンは言うまでもありませんが、その他私たちの日常生活のほとんどが、デジタル情報テクノロジーにもとづいています。買い物をするときのクレジットカード、銀行を利用するときのキャッシュカード、電車に乗るときのパスモやスイカなどの電子マネー、音楽を聴くときのiPod、クルマに乗るときのカーナビなど、あらためて指摘するまでもないでしょう。このようなデジタルテクノロジーの特質は、使っている人に「監視されている」と意識させないことにあります。

分かりやすい例として、Amazonで本を購入する場合を考えてみましょう。ご存じのように、Amazonで本を検索したり、買ったりすれば、その次にオススメの本が紹介されることになります。つまり、購入者の興味や関心に見合った本を紹介するのですが、これが可能なのは、購入者の情報がチェックされ、記録されていくからに他なりません。しかも、紹介された本を見て、「ああ、そんな本もあったんだ」と、つい買ってしまうこともたびたびですから、まんまとAmazonの戦略に乗せられてしまうのです。

フーコーの場合には、たとえ不可視であっても、「監視する者」が向こう側に控えていました。また、「監視される者」は、個人的に特定され、その人の情報が蓄積されていくわけです。ところが、現代のデジタルな監視では、「監視される者」が誰であるかは問題になりませんし、**監視はい**

わば自動的に行なわれていくのです。ある意味では、問題がなければ、「監視される」という意識は生じないでしょう。支払い能力のある人であれば、クレジットカードを自由に使えますが、そうでない場合には使用が禁止されるだけです。

シノプティコン――多数による少数の監視

フーコーが「パノプティコン」概念を導入するとき、彼は一つの歴史的な図式を持っていました。それを彼は、ドイツの監獄改革論者ユーリウスの見解として紹介しながら、次のように述べています。

古代は見世物の文明であった。「多数の人間をして少数の対象を観察可能にさせる」というこの課題に応じるのが、寺院・劇場・円形競技場の建築であった。（中略）ところが、近代が提起するのは、あべこべの問題、つまり「少数者に、さらには唯一の者に、大多数の者の姿を即座に見させる」のである。(9)

この図式はとても有名であり、その見解にもとづいて、多くの研究者が「近代は少数者が多数者を監視する社会である」と考えるようになりました。しかし、ノルウェーの社会学者**トマス・マシーセン**によれば、この理解には決定的な見落とし、しかも意図的な見落としがあります。つまり、フーコーは「古代＝見世物」、「近代＝監視」と主張するのですが、こうした対比は歴史的にはうまく説明できないのです。

こうした歴史的な理解はきっと間違いであろう。事実により近いのは、次のことである。パノプティコン的なシステムは、過去2世紀の間にきわめて発展したが、しかし、ルーツとしては古代にある。単に個人の監視技術だけでなく、パノプティコン的な監視システムのモデルもまた、初期キリスト教時代かそれ以前に遡るのである。[10]

つまり、フーコーが強調するように、監視の技術が近代に特有というわけではなく、むしろそれ以前の社会に遡るというわけです。さらに、もう一つの側面にも注意しなくてはなりません。近代社会では、「監視の技術」

だけが発展したわけではなく、**「見世物（スペクタクル）」の側面もまた飛躍的に増大した**のです。ところが、フーコーはこの側面をまったく無視してしまいました。

フーコーは、加速度的に増大している近代の監視システムにかんして、われわれの理解を深める点では大いに寄与したが（中略）、もう一つのきわめて重要性を持つ反対のプロセスを無視するのである。つまり、監視システムと同時的に起こり、同じような加速度で発展しているプロセスである。具体的には、マスメディア、とくにテレビであり、それは（中略）多数の者に（中略）少数者を見るようにさせるのである。(11)

このような理解にもとづいて、マシーセンはパノプティコンに対抗する概念を提唱しています。パノプティコン（panopticon）は語源的には、「すべて」を表す「pan」と、「見る」にかかわる「opticon」から構成され、多数者を見通す監視システムです。それに対して、マシーセンは「監視」だけでなく、**多数者が少数者を見る**という見物の側面も同時に備えた概念として、「一緒に、同時に」を表す「syn」を使って、**シノプティコン**(synopticon)と名付けています。つまり、私たちは「監視される者」であると同時に、「見物する者」でもあるのです。

マシーセンは「見世物」の側面を、「マスメディア、とくにテレビ」と考えていますが、現代の状況からすれば、むしろスマートフォンを想定するのが適切なように思えます。私たちは、たえずスマートフォンで情報を検索し、画面に見入っています。映像であったり、音楽であったりするかもしれません。あるいは、Facebookの情報に、「いいね」と発信するかもしれません。しかし、このようにスマートフォンの画面を見ながら、情報を検索するとき、同時に私たちの動向はつぶさに監視されているのです。画面を見ることは、同時に監視されることでもあります。この二つは、切り離すことができません。

現代の「コントロール社会」の正体

今まで、現代のデジタル化した社会を考えるために、フーコーの「パノプティコン」モデルと、その修正版を見てきました。しかし、そもそも、「パノプティコン」モデルは、現代社会を理解するのに有効なのでしょうか。たとえば、ジグムント・バウマンは『リキッド・モダニティ』（2000年）において、次のような指摘をしています。

ミシェル・フーコーはジェレミー・ベンサムのパノプティコンを、近代的権力の究極の比喩としてもちいた。（中略）近代史の現段階の形容の仕方には色々あるだろうが、現在は、たぶん、何よりもまず、ポスト・パノプティコン時代だと言える。[12]

バウマンがこのように語ったとき、おそらく念頭にあったのは、フランスの哲学者ジル・ドゥルーズの「管理（コントロール）社会論」ではないでしょうか。ドゥルーズは、晩年近くに発表した『記号と事件』（1990年）のなかで、「パノプティコン」モデルの「規律社会」と対比しつつ、「**管理社会**」を次のように規定しています。

私たちが「管理社会」の時代にさしかかったことはたしかで、いまの社会は厳密な意味で規律型とは呼べないものになりました。フーコーはふつう、規律社会と、その中心的な技術である監禁にいどんだ思想家だと思われていますが。しかし、じつをいうとフーコーは、規律社会とは私たちにとって過去のものになりつつある社会であり、もはや私たちの姿を映していないということを明らかにした先駆者のひとりなのです。(13)

ドゥルーズによると、フーコーが分析した「規律社会」は、20世紀の初頭にその頂点に達し、第二次世界大戦後に壊滅の時代を迎えるとされます。こうして、「規律社会にとってかわろうとしているのが管理社会に他ならない」わけです。しかし、ドゥルーズがいくら強調しても、「規律社会」と「管理社会」はどれほど違うのか、釈然としないかもしれません。いったい、ドゥルーズが語る現代の「管理社会」を、どう理解したらいいのでしょうか。

あらかじめ確認しておきたいのは、「管理」という場合、個々人が外部から強制されるわけではなく、自分の意志にしたがって自由に行動できることです。それにもかかわらず、個々人はいつでもどこでも「管理」されるわけです。その時に活用されるのが、情報機器とコンピュータに他なりません。個々人は、自由な行動の瞬間ごとに、チェックされ記録されていきます。そのデータが、自動的に蓄積されていくわけです。

もともと、個人（individus）という言葉は「分割不可能」という意味だったのですが、「管理社会」では個人はその都度細分されていき、その情報が記録されていきます。私たちの日常生活を顧みると、次のドゥルーズの言葉が現実味を帯びるはずです。

管理の計数型言語は数字でできており、その数字が表しているのは、情報へのアクセスか、アクセスの拒絶である。いま目の前にあるのは、もはや群れと個人の対ではない。分割不可能だった個人は分割によってその性質を変化させる「可分性」（dividuels）となり、群れのほうもサンプルかデータ、あるいはマーケットか「データバンク」に化けてしまう。[14]

つまり、**個々人は、断片的な情報にまで分割され、それらがたえず記録**

されていくのです。カードで買い物をし、ナビを使って車で移動し、パスモで電車に乗り、Googleでネットサーフィンを行ない、Twitterで発信し、メールで商談をする――このそれぞれの行動は、逐一管理されていくのですが、おそらく私たちには管理されているという意識はないでしょう。

FacebookとGoogleの野望？

このように考えると、最近どうしてFacebookやGoogleが、ネット未接続地区に無料で接続できる環境を構築しようとするのか、理解できるのではないでしょうか。

Facebook（現メタ・プラットフォームズ）は２０１３年、全世界にインターネット環境をもたらすことをめざす団体「Internet.org」の設立を発表しました。これは、インターネットに接続していない世界のおよそ50億の人々に、ネット環境を提供しようという試みです。この活動の一環として、２０１５年には通信衛星を使って、アフリカ地区に無料でインターネット接続サービスを提供する計画を発表したのです。

他方で、Googleも２０１３年に、気球を利用したインターネット接続環境構築プロジェクト「Project Loon」を発表して、廉価で高速のインターネット接続を世界中に提供しようと考えています。やや唐突な計画に見えますが、全世界に快適なネット環境を構築しようとしている状況はよく分かります（２０２１年１月プロジェクト終了）。

Facebookや Googleの計画が、単なる慈善事業として構想されていないことは、あらためて注意するまでもありません。では、両社は、いったい何をめざして、こうした計画を立ち上げたのでしょうか。

注目しておきたいのは、この計画がパソコンを使ったネット接続ではなく、スマートフォンによるネット接続を想定していることです。スマートフォンにおいて、かつてパソコンでマイクロソフトのＯＳが果たしたような、「プラットフォーム」の役割をもつのはどこなのか――こうした「プラットフォーム」の覇権を握るために、Googleや Facebookはしのぎを削っている、と言えるでしょう。

現在、Facebookに集うユーザーは、世界で29億人と言われています。また、Googleも同じように多くの人々が利用しているそうです。

この数はおそらく、今後も増え続けると思われますが、そうなると現実の国家の人口さえも凌駕することになります。しかも、「プラットフォーム」となることによって、その利用者（仮想国民？）たちの「ビッグデータ」を手に入れることになるのです。

そのデータは、日々拡大し続けていくのですから、その影響力（管理する権力）は計り知れないものになるはずです。

トマス・マシーセン（1933〜）

ノルウェーの社会学者。オスロ大学名誉教授。1997年に論文「ヴューア社会」を発表して、フーコーの「パノプティコン」概念に批判を加え、新たに「シノプティコン」概念を提唱した。ジグムント・バウマンが『リキッド・モダニティ』で取り上げ、注目されるようになった。2013年には、『監視社会へ向けて』を出版している。

第３節

人工知能が人類にもたらすもの

ビッグデータと人工知能ルネサンス

「ビッグデータ」について言えば、最近新たな広がりを見せています。それは、「ＡＩ」つまり人工知能研究の分野ですが、今までとは違った発展が展望されつつあります。

人工知能の研究は、１９５０年代から始まり、過去２回のブームを経て、現在は第３段階に立っている、と言われています。過去２回のブームでは、あらかじめコンピュータに規則や推論、知識などを教え込み、そこから現実世界の具体的問題を解決しようとめざしていました。しかし、具体的な状況は、決して一律ではなく、例外もあれば、偶発的な出来事も生じます。日常生活での会話を考えてみれば分かりますが、現実はきわめて変化に富み、規則的に行なわれることがありません。
とすれば、そもそも人間の知能に匹敵する人工知能を作製できるのか、と不審に思うでしょう。じっさい、アメリカの哲学者ヒューバート・ドレイファス*は、早くも1970年代に『**コンピュータには何ができないか**』を書いて、「人工知能の限界」について次のように主張しました。

われわれは情報処理レベルにおカネと時間をこれ以上費やす前に、(中略)コンピュータ言語が人間の振舞いの分析に適切であるということを示唆しているのかどうかを問わなければならない。離散的、確定的で文脈に依存しない要素の、規則に支配された操作によって、人間理性を分析しつくすことはできるのだろうか。そもそもこの人工理性という目標に接近すること自体可能なのだろうか。いずれの問いの答えも「ノー」であるように思われる。(15)

しかし、今日、こうした状況が大きく変わろうとしています。たとえば、人間に代わって自動運転する車のニュースはご存じだと思いますが、これに搭載されているのが人工知能です。具体的な状況の多様な変化を見極

***ヒューバート・ドレイファス**
2017年死去。アメリカの哲学者。ヨーロッパ現代哲学の研究と並んで、人工知能に対する哲学的批判を継続的に行なう。

め、即座に適切な対応をとることができるようになったのです。そうでなければ、事故ばかり起こすことになりそうですが、そうした事故もほとんど起こることなく、周りの環境に柔軟に対処できるようになっています。

あるいは、iPhoneをお持ちでしたら、「Siri」と呼ばれるアプリケーションを使われたことがあるでしょう。たとえば、自然言語で「△△を検索して」と話しかけると、それに対応する内容を答えてくれます。つまり、話している内容を理解して、それに応じた答えをしてくれるわけです。今のところ、幾分ぎこちないとはいえ、それでもある程度役に立ちます。このiPhoneに搭載されているのも人工知能です。

こうした最近の人工知能は、従来型とは違って、多様に変化する具体的な状況から出発し、いわば**自律的に学習**していくように見えます。そのため、「機械学習」とか「ディープラーニング」*などと呼ばれていますが、これによって人工知能の能力が飛躍的に向上しました。そして、こうした人工知能が自律的に学習するに当たって、情報として与えられたのが「ビッグデータ」に他なりません。インターネットによって集められた「ビッグデータ」を、人工知能は「ディープラーニング」するための素材

ディープラーニング
人間の脳神経回路をモデルにしたニューラルネットワークを多層化して、膨大なデータを処理できる手法。

とするのです。情報量が膨大ですので、人工知能は突然の変化や例外にも適切に対応できるわけです。

こうして、今、ビッグデータを背景にして、人工知能研究の爆発的な発展が、引き起こされようとしています。

人間と同等に会話できるAIは生まれるか

しかし、はたして人工知能は、人間のような知性（知能）をもつことができるのでしょうか。たしかに規則的な計算や情報処理などは、人間の能力をはるかに超えています。しかし、自然言語での会話を考えると、子どもでさえも可能な自然な会話が、まだできません。文脈に応じて適切に答えたり、問いかけたりすることが、苦手のように見えます。とすれば、人工知能は人間のように対処することができるのでしょうか。

この問題を最初に提起したのが、「**チューリング・テスト**」と呼ばれるものです。これは、イギリスの数学者アラン・チューリングが提唱した、一種の模倣ゲームです。彼は、１９５０年の論文で「機械は考えることが

チューリング・テスト

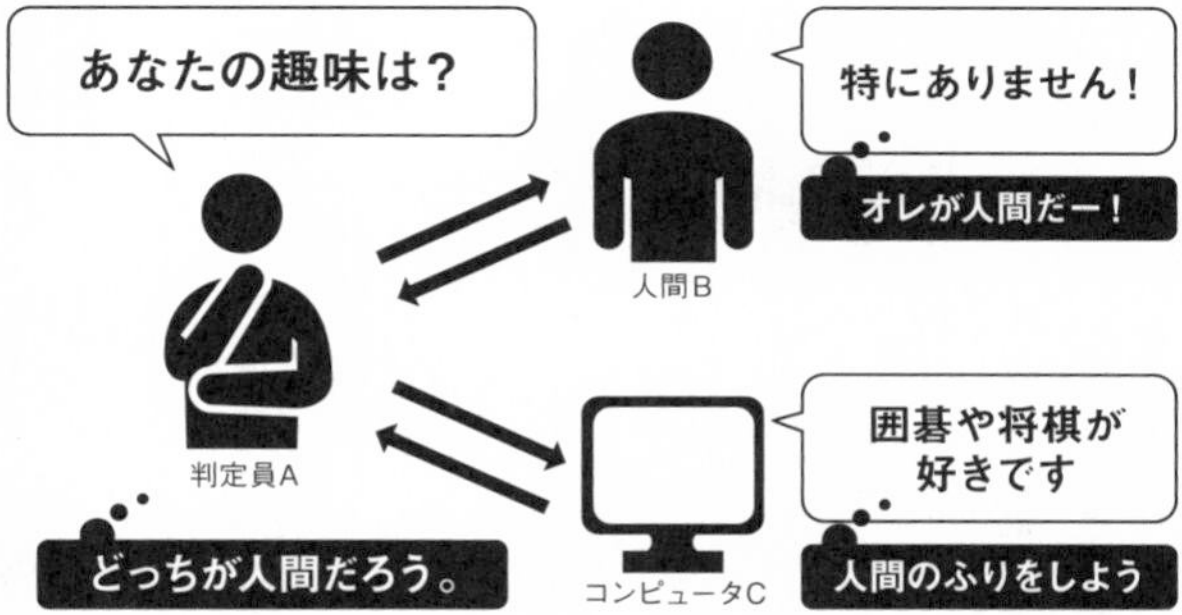

できるのか？」という問いを提起し、その確証のためにあるテストを考案したのです。それを簡略化して示しますと、質問者と、壁に隔てられた人間と機械（コンピュータ）が文字のみで交信できるようにしておきます。質問者が、壁の向こうの人や機械に質問（文字入力）をして、どちらが人間かを判定するわけです。

チューリング・テストについては、１９９０年以来毎年コンテストが行なわれています。このコンテストでは、５分間の自由会話をして、審査員の30％以上の人たちが「人間」と見なしたとき、合格とされています。今まで、合格者は出てきませんでしたが、**2014年に初の「合格者」**が誕生した、ということで話題になりました。しかし、コンピュータの専門家からは反論が多く出ているようです。人間と同等に会話できる人工知能は、まだまだ、出現していないようです。

こうした「チューリング・テスト」を、合格したと想定したうえで提出されたのが、アメリカの哲学者ジョン・サール*の思考実験（「**中国語の部屋**」）です。これはもともと、1980年の論文「心・脳・プログラム」において提示されましたが、ここでは2004年の『マインド――心の哲学』から引用してみましょう。

ジョン・サール 51ページ参照。

事実の問題として、私はまったく中国語が分からない。（中略）しかし次のような場面を想像してみよう。私は中国語の記号がはいった箱をもって、ある部屋に閉じ込められている。私にはルール・ブック、要するにコンピュータ・プログラムが与えられている。それを使えば、私は中国語で出題される質問に答えることができるという次第。私は、部屋の外から理解できない中国語の記号を受けとる。それが質問だ。私は、用意されたルール・ブックを使って、箱から記号を拾い上げ、その記号をプログラムのルールに従って操作する。そうして要求された記号を質問に対して返せば、それは回答だと解釈される。ここから次のように考えてみることができる。なるほど、私は中国語を理解しているかどうかのチューリング・テストに合格した。しかし、それにもかかわらず、私は中国語を一文字たりとも理解していない。適切なコンピュータ・プログラムを実行して事にあたった私が、それでも中国語を理解できなかったとすれば、そのプログラムを実行して事にあたる他のいかなるコンピュータも同様に理解は覚束ない。[16]

お分かりのように、サールはチューリング・テストが完全にクリアできたとしても、コンピュータが人間のように心をもち、理解することはできないと見なしています。しかしながら、現代社会で重要なのは、心をもつかどうか、理解できるかどうか以前に、何よりもまず、チューリング・テストをクリアできる人工知能を作製することにあるのではないでしょうか。もし、サールの想像するような「自動翻訳」が適切にできる機械が可能ならば、社会に及ぼす影響は計り知れないと思います。

フレーム問題は解決したのか

人工知能に対するもう一つの疑問として、しばしば提出されてきたのが、いわゆる「**フレーム問題**」と呼ばれる難問です。もともとは、人工知能研究者のマッカーシーとヘイズが発表した論文に由来しています。この問題を、アメリカの哲学者**ダニエル・デネット**が１９８４年の論文であらためて提起し、今ではデネットの卓抜な思考実験が、たいてい使われるようになりました。そこで、やや長くなりますが、問題を確認するためにも、デネットの描いた思考実験を見ておきたいと思います。

①むかしR₁というロボットがいた。ある日、R₁の設計者たちは、エネルギー源となる予備バッテリーを、ある部屋に置き、その部屋に時限爆弾を仕掛け、まもなく爆発するようにセットした。R₁は、その部屋からバッテリーを回収する作戦を立てた。部屋の中には、ワゴンがあり、バッテリーはそのワゴンの上に載っている。R₁は「引き出す（ワゴン、部屋）」という行動を実行すればよいと考え、ワゴンを部屋の外に持ち出すことに成功したが、不

幸なことに、時限爆弾もワゴンに載っていたので、部屋の外に出たところで、R_1は爆破されてしまった。

②設計者らは第2のロボットの開発に取りかかった。ロボットは自分の行動の意図した結果だけでなく、意図しなかった結果をも判断できなくてはならない。そのためには、行動の計画を立て、周囲の状況の記述からその結果を演繹させればよい。そこで、新たにつくられたロボットはR_1D_1（D＝Deduce（演繹））と名づけられた。そこで、R_1D_1は、R_1の場合と同じ状況に置かれ、バッテリーの回収に取りかかった。「引き出す（ワゴン、部屋）」という行動の実行に先だって、R_1D_1は結果を次々と考え始めた。ワゴンを引き出しても部屋の壁の色は変わらないだろう、ワゴンを引き出せば車輪が回転するだろう（中略）。こうした結果の証明に取りかかったときに、時限爆弾がさく裂した。

③**問題は、目的にかんして、関係のある結果と関係のない結果を、ロボットが見分けられなかったこと**にある。そこで、開発者たちは、目的に関係のない結果を見分けられるロボットR_2D_1をつくった。ところが、R_2D_1は部屋に入らず、その前でうずくまったのである。部屋の前で、R_2D_1が無関係

な結果を見分けて、それらを一つずつ無視しつづけている間に、時限爆弾が爆発したのである。[17]（①〜③は筆者による）

ここでお分かりのように、「フレーム問題」というのは、人工知能が具体的な場面で行動を起こすときに陥る難問に他なりません。自分の目的を遂行するためには、それに関連する無数の結果をも考慮しなくてはなりません。ところが、②のように、そうした結果をすべて考慮していては、何も行動を起こすことができなくなるのです。そのために、③のように、あらかじめ「目的に関連する重要な結果だけを考慮せよ、それ以外は無視せよ！」と命じたとしても、そもそもどれを考慮し、どれを無視してよいのか、無限に判断しなくてはなりません。こうして、結局は、何も行動できなくなってしまうわけです。

とすれば、こうした「フレーム問題」を解決しないかぎり、人工知能は不可能だと言うべきでしょうか。注意しておきたいのは、「フレーム問題」が人工知能だけでなく、私たち人間にとっても、状況は同じだという点です。人間は「フレーム問題」を解決しているから、行動できるわけではあ

デネットの思考実験

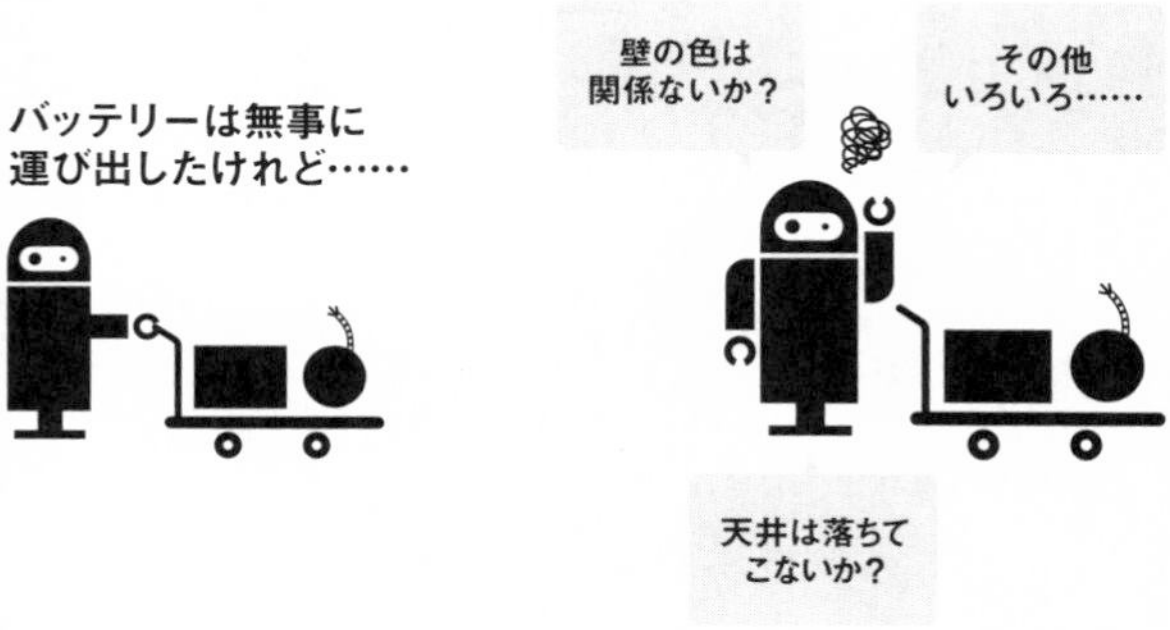
バッテリーは無事に
運び出したけれど……
壁の色は
関係ないか？
その他
いろいろ……
天井は落ちて
こないか？

りません。

　人間にしても、結果をすべて考えようとすれば、まったく行動できなくなるでしょうし、どれが目的に関連のある重要な結果かも、必ずしも明らかではありません。ただ、人間の場合には、そうした「フレーム問題」に拘泥せずに行動するにすぎませんが、そのため①のように爆破されることも少なくないのです。

　ところが、現在、ビッグデータを背景にして、人工知能の分野でも、人間と同じように「フレーム問題」に陥らず（解決ではなく）に、働くようになりつつあります。だからこそ、車の自動運転も実用化がめざされているのではないでしょうか。

ダニエル・デネット（1942〜）

アメリカの哲学者。タフツ大学教授。ハーバード大学でクワインの指導を受け、学士号の学位を得る。オックスフォード大学のギルバート・ライルのもとで研究し、博士の学位を授与される。学生時代から、哲学研究者たちから評価されるほど優秀で、研究範囲も広い。人工知能研究や進化生物学、認知科学と積極的な対話を行ない、卓抜した思考実験を使って哲学の刷新を図っている。

第４節　ＩＴ革命と人類の未来

ホーキング博士の警告

人工知能の最近の進化を見ていると、それが私たち人間をどこへ導くのか、大いに気になるでしょう。じっさい、物理学者のホーキング博士をはじめ、多くの著名な人々が、人工知能の発達に警鐘を鳴らしています。もともと、この未来予想は、カーツワイルの「**技術的特異点（シンギュラリティ）**」の概念から、出てきています。カーツワイルは、次のように説明しています。

特異点とは何か。テクノロジーが急速に変化し、それにより甚大な影響がもたらされ、人間の生活が後戻りできないほどに変容してしまうような、来たるべき未来のことだ。（中略）迫り来る特異点という概念の根本には、次のような基本的な考え方がある。人間が生み出したテクノロジーの変化の速度は加速していて、その威力は、指数関数的な速度で拡大している、というものだ。(18)

しかも、カーツワイルは、その「技術的特異点」の年代を「２０４５年」と特定さえしています。そのため、この年代がしばしば独り歩きするのですが、いずれにしろ21世紀のある時点で、人類が「技術的特異点」に達することは予測できると思います。そのとき、何が起こるのでしょうか。

スウェーデン出身のオックスフォード大学の哲学者ニック・ボストロム*は、２０１４年に『スーパー・インテリジェンス　道行き、危険、戦略』を出版しています。ビル・ゲイツが「この本を強く推薦する」と述べたこともあって、ボストロムの書物は大きな波紋を惹き起こしました。そのなかで彼は、次のように語っています。

いつか私たちが、一般的知性において**人間の脳を凌駕する機械の脳をつく**

*ニック・ボストロム　１６２ページ参照。

るならば、その時にはこの新しいスーパー・インテリジェンス（超知性・超知能）はきわめて強大になるだろう。そして、ゴリラの運命が今、ゴリラ自身というよりも、私たち人間にいっそう依存しているように、私たち**人間という種の運命も機械のスーパー・インテリジェンスのアクションに依存する**ことになるだろう。[19]

つまり、人間の知性（知能）を超える機械の「スーパー・インテリジェンス」が、「技術的な特異点」において出現するわけです。こうした予想は、荒唐無稽な妄想というべきでしょうか。しかし、人工知能の発達を顧みると、あながち間違っているとは言えません。

１９５０年代に開発された最初の頃の人工知能では、チェスのゲームをしたとき、素人にさえ負けるレベルでしたが、最近では世界チャンピオンにも勝つようになっています。囲碁でもGoogleによるＡＩ「アルファ碁」の目覚ましい活躍は記憶に新しいことでしょう。また、車の自動運転が実用化され、公道でも事故を起こさずに運転できるようになっています。余談ですが、実験中に事故が起きたのは、人間が関与したときだったそうです。こうした進歩を考えるとき、カーツワイルでなくても、「技術的特異点は近い」と言いたくなるのではないでしょうか。

しかし、ボストロムの引用でも分かりますが、人工知能が人間の知能を超えるようになったら、人間にとって危険な状況（脅威）になるのではないでしょうか。

人間の仕事がロボットに奪われる

その危険な状況の一つとして、最近とみに叫ばれているのが、人工知能やそれを搭載した「ロボット」によって、人間の仕事が奪われてしまうのではないか、ということです。それにかんして、注目すべきレポートが2013年にオックスフォード大学の二人の研究者、フライとオズボーンから提出されています。「雇用の未来――コンピュータ化によって仕事は失われるのか」という論文です。彼らは、アメリカの労働省のデータにもとづいて、702の職種がコンピュータ化によって今後どのようになるのか、分析しています。

この論文で、私たちは「(コンピュータによる現代の)テクノロジー的発展によって、どれほど仕事が失われるのか」という問題を問うている。これを考えるために、私たちは新たな方法を実施して、702の詳細な仕事をどれほどコンピュータ化できるか、という可能性を評価した。こうした評価にもとづいて、将来のコンピュータ化がどれほど労働市場に影響を与えるかを調べた。(中略)この評価によれば、**アメリカの全雇用のおよそ47%がきわめて高いリスクに分類される**。私たちは、こうした仕事が比較的近いうちに、おそらく10年や20年のうちに自動化されると考える。(20)

「47%の職種が、コンピュータ化によって失われる!」と聞くと、おそらく驚かれるのではないでしょうか。フライとオズボーンは、最近の「ビッグデータ」の集積や、それによる人工知能の進化、さらにはロボット技術の発達にもとづきながら、こうした数字をはじき出しています。

しかしながら、こうした「技術的失業」の主張については、歴史的に今回が初めてというわけではありません。たとえば、19世紀初め頃、イギリスで産業革命が進展していた頃、「機械」によって大量の失業が発生したことはよく知られています。その頃の状況を、マルクス*の『資本論』から引用してみましょう。

> 労働手段は機械になったとたんに労働者自身の競争相手になる。機械による資本の自己増殖は、機械によって生存条件を破壊される労働者数と正比例する。資本制生産の全システムは、労働者が自分の労働力を商品として売ることの上に成立している。（中略）道具の操作が機械に奪われると、労働力はとたんに使用価値と同時に交換価値をも失う。労働者は、通用しなくなった紙幣と同様、売れなくなる。[21]

しかし、かつて機械によって失われた仕事は「ルーティーンな仕事」でした。ところが、今日失業すると予測されている仕事は、会社のホワイトカラーや、医者や弁護士や教師といった**知的労働に携わる仕事にまで及ぶ**のです。昔は、単純労働に機械が導入されても、複雑で人間のみに可能な仕事が残されていました。ところが、やがてそうした仕事も、コンピュー

*__カール・マルクス__
19世紀ドイツの哲学者、思想家、経済学者、革命家。『資本論』を執筆し、20世紀以降の国際政治や思想に多大な影響を与えた。

タ化によって失われてしまうわけです。

この問題を論じたマーティン・フォード*は、『テクノロジーが雇用の75％を奪う』（２００９年）のなかで、経済学者によって生み出された「ラッダイトの誤謬」という概念を取り上げて批判しています。この概念は、１８１１年に起こった「機械打ち壊し運動」（ラッダイト運動*）が間違いであったことに由来しています。つまり、機械化が進んだからといって、経済全体に及ぶ組織的な雇用喪失には決していたらないというわけです。しかし、フォードによれば、この概念（ラッダイトの誤謬）は、過去には妥当だったかもしれないが、「技術的特異点」を迎えたとき、同じように否定できるかどうかは分からない、というのです。

マーティン・フォード　ソフトウェア開発会社を創業すると同時に、社会へのテクノロジーの影響を研究する未来学者でもある。

ラッダイト運動　英国産業革命期の１８１０年代、織維工業を中心に起こった職人や労働者の機械打ち壊し運動。

人工知能によって「啓蒙」される人類？

人工知能が脅威となるとき、根本にあるのは、それが人間から「自立化・自律化」することにあります。最初の頃の人工知能は、人間があらかじめ規則や推論を設定したり、知識を教えたりするものでした。そのため、そうした規則や知識を超えた状況に出あうと、うまく対処できなかったのです。ところが、20世紀末から膨大な「ビッグデータ」が蓄積され、それにもとづいて人工知能が「機械学習」や「ディープラーニング」を行なうことによって、いわば自己進化していく人工知能が開発され始めています。

厳密に考えると、現在においては、「人工知能が自律的に学習する」とは言えません。しかしながら、その方向に進みつつあるのは明らかではないでしょうか。たとえば、２０１４年にホーキング博士がＢＢＣで語ったことは、その懸念を端的に示しています。

いつの日か、自律するＡＩが登場し、とてつもない速さで自己改造を始めるかもしれません。生物学的進化の遅さに制限される人間がこれに対抗できるはずもなく、いずれ追い越されるでしょう。

最近の技術的なトレンドとして、「ＩｏＴ」つまり「モノのインターネット（Internet of Things）」が急速に導入されつつあります。人間を介すことなく、モノ同士で相互に通信し合い、アクションを起こすわけです。

たとえば、車の自動運転を考えてみれば、ＧＰＳやレーダーやカメラなどの情報が、人間を介さずに、車へと直接伝えられます。こうした「ＩｏＴ」は、家電の分野で少しずつ浸透しつつありますが、この変化を「新たな産業革命」と呼ぶこともあります。この革命が進展するかどうかは、「自律型の人工知能」にかかっているように思われます。

では、この「自律型の人工知能」は、いったいどこへ向かうのでしょうか。これを考えるとき、ヒントになるのは、アドルノ*とホルクハイマー*が「啓蒙の弁証法」（１９４７年）と名づけた概念です。彼らは、第二次世界大戦中、亡命先のアメリカで『啓蒙の弁証法』を執筆し、近代社会の未来について、次のような疑念を表明したのです。

　何故に人類は、真に人間的な状態に踏み入っていく代わりに、一種の新しい野蛮状態へと落ち込んでいくのか。[22]

一般に、「啓蒙」というのは、人間を無知蒙昧な迷信から解放する「合理的な理性」を意味しています。近代科学や近代市民社会や資本主義経済

テオドール・アドルノ
20世紀ドイツの哲学者。次世代のユルゲン・ハーバマスらとともにフランクフルト学派を代表する思想家。

マックス・ホルクハイマー
20世紀ドイツの哲学者。フランクフルト学派の代表で、アドルノとの共著『啓蒙の弁証法』で知られる。

などは、この「啓蒙」によって生み出されたものです。ところが、アドルノとホルクハイマーによれば、こうした合理的な「啓蒙」は、やがて自分自身を否定するようになり、**「反‐啓蒙」である神話や暴力へと転化する、**というわけです。この「反‐啓蒙」として、彼らはナチズムやスターリニズムなどの「全体主義」を見ていました。

このような「啓蒙」から「反‐啓蒙」への弁証法は、人工知能の未来を考えるとき、一つのモデルとなるように思えます。人工知能は「人間のような知能」をもつために作製されたのですが、今や人間と同じように「自律的学習」ができるようになって、さらには「人間の知能」を大きく超え出ようとしています。

人工知能が人間から自立化し、モノ同士で相互にコミュニケーションできるようになり始めました。とすれば、やがて、人工知能が人間に対抗することもあるのでしょうか。アイザック・アシモフの小説『われはロボット』（1950年）で登場する「ロボット工学の3原則」は、SFの世界だと思っていましたが、現実世界の未来として、あらためて検討する必要がありそうです。そこには、次のように書かれています。

第1条　ロボットは人間に危害を加えてはならない。また、その危険を看過することによって、人間に危害を及ぼしてはならない。

第2条　ロボットは人間に与えられた命令に服従しなくてはならない。ただし、与えられた命令が、第1条に反する場合は、この限りではない。

第3条　ロボットは、前掲第1条および第2条に反する恐れのない限り、自己をまもらなければならない[23]。

本章をより理解するための　ブックガイド

監視社会

デイヴィッド・ライアン著（2002年／河村一郎訳／青土社）

カナダの社会学者であるライアンは、この本を出版して、「監視社会論」のエキスパートとして知られるようになった。デジタル・テクノロジーによって、以前の「監視社会論」は根本的な変更を余儀なくされている。この書の後、具体的状況の変化に応じて、ライアンは次々と「監視社会論」を発表している。

Mobile Understanding: The Epistemology of Ubiquitous Communication

Kristóf Nyíri (ed.)（Passagen Verlag／2006）

今から17年前に出版された本であり、まだ iPhone も発売されていなかった時期に、「モバイル・コミュニケーション」のあり方に注目し、分析した先駆的な研究である。このなかに、フェラーリスの論文（Where Are You?　Mobile Ontology）も含まれ、「ドキュメント性」概念の萌芽を読むことができる。

CODE VERSION 2.0

ローレンス・レッシグ著（2007年／山形浩生訳／翔泳社）

2000年に出版した『CODE――インターネットの合法・違法・プライバシー』を、時代の変化にもとづいて改訂したものである。ネット空間で、自由と規制はどのように考えたらいいのか。現代の情報通信ネットワーク社会のあり方を理解するには、レッシグの一連の著作を読む必要がある。

監視社会論といえば、以前はオーウェルの小説『1984年』にもとづき、歴史的にはナチスやスターリン主義を連想させるものだった。ところが、デジタル・テクノロジーの普及によって、監視のスタイルがすっかり変わってしまった。かつての「ビッグブラザー」型の監視から、「リトルブラザー」「リトルシスター」の監視へと変わったのである。そうした変化をキャッチして、理論を作り上げたのがライアンの監視社会論である。こうした監視の変化によって、社会にいかなる状況が生まれるのだろうか。イギリスの社会学者ジョック・ヤングは『排除型社会――後期近代における犯罪・雇用・差異』（洛北出版、原著1999年）のなかで、そのような変化を描いている。監視社会論とは別に、デジタル時代における人間のあり方を考えるときは、ホフスタッターとデネット編集の『マインズ・アイ』（阪急コミュニケーションズ、原著1981年）がオススメである。チューリングの論文「計算機械と知能」も収録され、「コンピュータ時代の〈心〉と〈私〉」（副題）を考えるとき、ぜひ読んでおきたい。デジタル・テクノロジーが今後さらに発展するにつれて、「人工知能」と人間の関係がもっと重要になるが、その先を考えるにはボストロムの『スーパー・インテリジェンス』（未邦訳、2014年）を見ておく必要がある。

第3章

バイオテクノロジーは「人間」をどこに導くのか

第1節

「ポストヒューマン」誕生への道

人間のゲノム編集は何を意味するのか

本章では、現代におけるバイオテクノロジーの発展が、私たち「人間」をどこへ導くのか、考えてみましょう。1950年代に、ワトソンとクリックがDNAの「二重らせん」*構造を解明して以来、生命科学と遺伝子工学が飛躍的に発展しました。現在では、自然界に存在しなかった生物でさえ、人為的に作製できるようになったのです。こうして、**BT（バイオテクノロジー）革命**と呼ばれる時代が到来しました。

今まで、バイオテクノロジーの向かう先は人間以外の生物でした。遺伝子組み換えやクローン動物の作製にしても、基本的には人間以外の生物が対象とされてきました。人間を例外としたうえで、人間のために他の生物

二重らせん
DNAが生細胞中でとっている立体構造。ワトソンとクリックによって、はじめて提唱された。

種を遺伝子工学的に操作するわけです。こうしたバイオテクノロジーを人間に応用したとき、何が生じるのでしょうか。

あらためて言うまでもありませんが、人間もまた生物種の一つ、すなわち哺乳類に属していますから、人間に対する遺伝子操作は原理的には可能でしょう。1970年代には、いわゆる「試験管ベビー」*が誕生することで、受精卵に対する操作も可能になっています。また、20世紀末から「ヒトゲノム計画」*が始まりましたが、21世紀の初めには予想よりも早く完了し、今では人間のDNA情報がすっかり解読されています。とすれば、人間に対する遺伝子操作が日程に上るのも、それほど遠くないと思われます。

たとえば、『人間の終焉』（2003年）のなかで、科学ジャーナリストのビル・マッキベンは、現代の状況を次のように書いています。

> 遺伝子操作を試みる研究者が作業を開始する対象は、たいてい受精後一週間くらいの初期胚である。胚を一つ一つの細胞（割球）に分けてその一つを選び、その遺伝子の一部に追加、除去、あるいは修正の処置をほどこす。また、

試験管ベビー
体外受精をヒトの臨床に応用し、その結果生まれた赤ん坊をさす。ガラス容器内で受精、培養を行なうために生まれた呼称。

ヒトゲノム計画
ヒトのゲノムの全塩基配列を解析するプロジェクト。2003年に完了した。

バイオテクノロジーの進化

1950年代	DNAの「二重らせん」構造、生命科学
↓	
1970年代	試験管ベビー誕生、遺伝子工学
↓	
1990年代	ヒトゲノム計画、体細胞クローン牛誕生

あらかじめデザインした遺伝子を含む人工染色体を挿入することもある。それを、核を除去した卵子のなかに入れ、そうしてできた新しい胚を女性の体内に移植する。その胚は、もしすべてが計画どおりに進めば、遺伝子操作された子どもになる。

こうした記述を読むと、いとも簡単に遺伝子操作できそうですが、マッキベンの本が出版されたころは、それほど容易ではありませんでした。ところが、最近では**「ゲノム編集」**という技術によって、生物の遺伝子を容易に組み換え可能になっています。

そういう矢先の2015年、中国で人間の受精卵に「ゲノム編集」を行なった、という報告が発表されました。テクノロジーの論理からすれば当然のことですが、これはいったい何を意味するのでしょうか。また、このテクノロジーは、私たち人間をどこへ連れていくのでしょうか。こうした事態を、私たちはどう考えたらいいのでしょうか。

人体の改変をめぐる論争

今日において、バイオテクノロジーが「人間」にとって、どんな意味をもつかを考えるために、21世紀初め、アメリカで展開された論争を取り上げることにしましょう。人間の遺伝子組み換えが、もはやSFの世界ではなくなり、その是非が本格的に議論されるようになったのです。

発端となったのは、ほぼ同時期に発売された二つの著作です。その一つは、政治学者フランシス・フクヤマ*が書いた『人間の終わり――バイオテクノロジーはなぜ危険か』（2002年）です。そのなかでフクヤマは、「**ポ**

フランシス・フクヤマ　1952年生まれ。アメリカの政治学者。父親が日系二世、母親が日本人の日系三世。元米国務省政策企画本部スタッフ。

ストヒューマン（人間以後）」という言葉を使いながら、バイオテクノロジー革命について、次のように展望しています。

> 本書の目的は、（中略）現代のバイオテクノロジーが重要な脅威となるのは、それが人間の性質を変え、私たちが歴史上「ポストヒューマン（人間以後）」の段階に入るかもしれないからだ、と論じることである。これが重要なのは、人間の本性（自然）が存在し、しかも意味ある概念として存在し、そのおかげで一つの種としての私たちの経験が安定的に続いてきたからである。[1]

こう述べるとき、フクヤマが展開する論拠は、必ずしも明快とは言えません。というのも、人間の遺伝子組み換えがなぜ悪いのか、はっきりしないからです。けれども、彼がバイオテクノロジーの未来を「ポストヒューマン」と表現したのは適切だと思います。フクヤマは、この「ポストヒューマン」に反対して人間の尊厳を擁護するのですが、残念ながら、その議論は成功していません。フクヤマとは逆に、遺伝子組み換えが人間の改良につながる、と考えることもできるはずです。

この視点から議論を展開したのが、科学者のグレゴリー・ストック*です。彼は、フクヤマの本とほぼ同時に、『それでもヒトは人体を改変する――遺伝子工学の最前線から』（２００２年）を出版しました。フクヤマとストックでは、バイオテクノロジーに対する態度がまったく違っています。ストックは、バイオテクノロジーの成果を積極的に取り入れ、**「費用、安全性、有効性」の条件がクリアされるならば、人間に対する遺伝子組み換えも賛成すべき**だと主張します。

しかし、この論争で重要なことは、フクヤマとストックの対立よりも、両者が共通の認識にもとづいている点にあります。ストックもまた、現代のバイオテクノロジーが「ポストヒューマン（人間以後）」に導く、と考えているのです。たとえば、ストックが書いた、次のような文章を読むと、現代の状況がはっきりと理解できるのではないでしょうか。

　ホモ・サピエンスで霊長類進化が終わりではないことは分かっているが、私たちが著しい生物学的変化の先端にあって、現在の姿や性質を超越する、新たな想像力の目的地に向かって旅立とうとしていることを把握している人

グレゴリー・ストック
カリフォルニア大学ロサンジェルス校のスクール・オブ・メディシンで医学・テクノロジー・社会に係わるプロジェクトのディレクターを務めている。

間はまだごく少数である。（中略）私たちが最終的に姿を消すに至る道は、人類の失敗によってではなく人類の成功によって切り開かれるかもしれない。徐々に漸進的に自己変容していくことによって、私たちの子孫を、現在使われているような意味で**人間とは呼べないほどに現在の人類とは違ったものに変えてしまうことができる**かもしれない。（中略）ホモ・サピエンスは、その進化を急速に前進させることによって、自らの後継者をうみだすだろう。[2]

一つだけ付言しておけば、ここで念頭に置かれているのは、生殖細胞系列の遺伝子改変ですが、具体的には受精卵に対して遺伝子操作を行ないます。この技術によって遺伝子が改変されると、それが次の世代へ引き継がれていきます。この改変を何世代か繰り返していけば、やがてまったく違った生物（ポストヒューマン）が誕生する、というわけです。

バイオテクノロジーは優生学を復活させるのか

人間の生命に対する人為的な操作という今日の状況を見て、優生学の復活ではないかと危惧する人もいます。優生学（eugenics）は、19世紀の後半ダーウィン*のいとこであるフランシス・ゴールトンによって提唱されました。意味としては、「**生物の遺伝構造を改良**することで人類の進歩を促そうとする科学的**社会改良運動**」と定義されています。ただ、これが科学なのか、それとも政治的主張なのか、あるいは国家政策なのか、明確ではなく、優生主義とも優生政策とも表現されているのです。

20世紀には、世界中の国々でこの優生政策が実施されたのですが、そのなかでも悪名高いのがナチス・ドイツによる優生主義でした。民族衛生学の名のもとで、「ドイツ民族の品種改良」を掲げ、不適格と見なされた人々を強制収容所に隔離し、断種したり抹殺したのは周知のことでしょう。そのため、優生学という言葉を聞いただけで、ナチス時代の悪夢がよみがえり、今でも根強い反発を生み出しています。

こうした経緯もあって、20世紀の後半、バイオテクノロジーが発展し、それを人間に応用しようとしたとき、優生学の復活と見なされて、激しい批判が展開されました。しかし、今日のバイオテクノロジーは、そのようなナチス型の優生学なのでしょうか。そう単純でないことは、アメリカの

チャールズ・ダーウィン
19世紀イギリスの自然科学者。進化論を提唱。

生命倫理学者アーサー・カプラン*たちが書いた論文（「優生学の何が非道徳的か？」）を読めば了解できると思います。

まず、「ナチス型の優生学」と現代の「優生学」のどこが違うのか、確認しておきましょう。ナチス型では、国家や組織が主体となって、個人の生命に対して、強制的に介入します。個人の意志に反して国家が、隔離したり、断種したり、さらには殺害したわけです。ところが、こうした国家による強制という要素は、現代のバイオテクノロジーにはありません。むしろ、どのような子どもを産むかは、親やカップルの自由に任せられていて、国家による強制は排除されています。そのため、今日の「優生学」はリベラルな優生学と呼ばれています。

個々人が自分の生き方を自由に選ぶのは、現代社会の大前提になっています。誰と結婚し、どのような子どもを産むか、またその子どもをどのように教育するかも、それぞれの個人の自由な選択にもとづいています。このような現代のライフスタイルを考えると、ナチス型の優生学は論外としても、リベラルな優生学には反対する理由を見つけるのが困難です。

たとえば、子どもにどんな教育をするのか、考えてみましょう。現代で

アーサー・カプラン
生命倫理学者。ペンシルベニア大学生命倫理センターの所長でもある。

は、子どもの教育のために、いい学校を選ぶことは不思議なことではありません。幼稚園（もっと早く？）から始まって大学まで、将来のためにできるだけ有利な環境を選ぶわけです。この親の態度を非難する人は、ほとんどいないと思います。

とすれば、子どもの人生を有利なものとするため、親たちが子どもの遺伝子を改良することは、どうして悪いのでしょうか。子どもの遺伝子の改良は、子どもへの最も早い段階の教育（「遺伝子工学的教育」）と言えないでしょうか。子どもへの早期教育が、少しだけ早くなったにすぎません。

いずれにしろ、現代のリベラルな優生学は、国家による強制的な優生学ではないのですから、ナチス・ドイツの記憶を呼び起こして単純に反対することは不可能です。

「トランスヒューマニズム」の擁護

現代のバイオテクノロジーは、古い「ナチス型の優生学」のように、個人の生殖や生命に対して、国家が強制的な措置を加えることはしません。

とすれば、はたして、今日の「リベラルな優生学」に反対できるのでしょうか。たとえば、オックスフォード大学の哲学者**ニック・ボストロム**は、次のように述べています。

バイオ保守派は一般に、（中略）人間の本性を変えるために、テクノロジーを使うことに反対している。バイオ保守主義の中心的な考えは、人間のエンハンスメント（能力増強）・テクノロジーがわれわれ人間の尊厳を掘り崩してしまうだろう、ということである。(3)

ここでバイオ保守派と呼ばれているのは、現代のバイオテクノロジーが人間以後（ポストヒューマン）へ向かうという点で、反対する主張を指しています。その典型はフランシス・フクヤマの議論にありますが、フクヤマは「人間の尊厳」という概念にもとづいて、バイオテクノロジーを規制しようとしました。人間には尊厳があるのだから、人間の遺伝子改変は認められないと考えているのです。

しかし、現在の人間の能力（身体的・精神的能力）を増強することが、どうして「人間の尊厳」を侵害することになるのでしょうか。より高い能力をめざすことが、なぜ「尊厳」を損なうことになるのでしょうか。現在の人間の能力を超えていくことは、むしろ私たちにとってめざすべき方向ではないでしょうか。こうした観点から、ボストロムは「**トランスヒューマニズム（人間超越主義）**」を提唱しているのです。

人間超越主義（トランスヒューマニズム）の考えによれば、現在の人間の本性は、応用科学やほかの合理的方法によって改良することができる。それによって、人間の健康の期間を延長し、私たちの知的・身体的能力を拡張し、私たちの心的状態や気分に対するコントロールを増大させることができるのである。(4)

こうした「トランスヒューマニズム」を採用して、人間の能力を増強していけば、その先にポストヒューマン（人間以後）の地点に到達します。ボストロムによれば、現代はまさにその出発点となるのです。こうした「トランスヒューマニズム」は、最近ではボストロムの他にも賛同者が多くなり、『人間エンハンスメント論集』（２００９年）や『トランスヒューマニスト読本』（２０１３年）なども出版されています。

ニック・ボストロム（1973〜）

スウェーデン出身の哲学者。オックスフォード大学教授。科学技術の発展にもとづいて、人間を生物的・技術的に改造することを擁護し、１９９８年に「世界トランスヒューマニスト協会」を設立する。２００５年には、オックスフォード大学のFuture of Humanity Instituteの所長に就任した。科学技術と人間の未来に対して、積極的なメッセージを発信している。訳書がまだ出版されていないのが残念。

第2節

クローン人間は私たちと同等の権利をもつだろうか

クローン人間にまつわる誤解

今度は20世紀末に世界的なセンセーションを巻き起こしたクローン技術について、考えてみましょう。一般にクローンといっても、その作製方法はさまざまで、たとえば受精卵クローンならば、以前から作製されていました。それに対して、１９９６年に世界初の体細胞クローン羊*が誕生（発表は97年）したのは、まったく新たな地平を拓くものです。

ここで注目したいのは、クローン羊「ドリー」が誕生したとき、すぐさまクローン人間が世界的に話題となったことです。クローン人間誕生の噂が、かなり怪しげな諸団体から発信されました。しかし、その後、人間への応用が多くの国々で禁止されたこともあって、最近ではほとんど話題に

世界初の体細胞クローン羊
「ドリー」と名付けられた。スコットランドのロスリン研究所で生まれ育ち、6歳で亡くなる。

なりません。とはいえ、禁止すれば問題が解決するわけではありませんし、そもそも禁止することが正当かどうかさえ疑念が残ります。ドリー誕生からおよそ25年をこえた現在、あらためてクローン人間の是非を考えておきたいと思います。

まずクローン人間という場合、最初から多くの誤解に曝されていたことに、注意しなくてはなりません。たとえば、クローン人間を生み出してもよいか？ という問いを出すと、たいていの人は怪物か化け物が生まれるような反応をします。

しかし、これは1930年代にハクスリー*が書いた小説『すばらしい新世界』に登場するクローン（むしろコピー人間と言った方が適切？）にもとづいています。しかし、こうしたイメージは、現代のクローン技術からすれば、まったくの誤解と言うべきです。

クローン人間といっても、コピーのように、そっくり同じ人間（コピー人間）が作りだされるわけではありません。体細胞クローンというのは、受精前の卵子から核を取り除き、そこに精子ではなく、ある人物（A）の体からとった細胞の核を移植するという方法です。

オルダス・ハクスリー
作家・著述家。小説を創作する一方で神的な実在を認識した人間の思想を研究。

クローンとはなにか

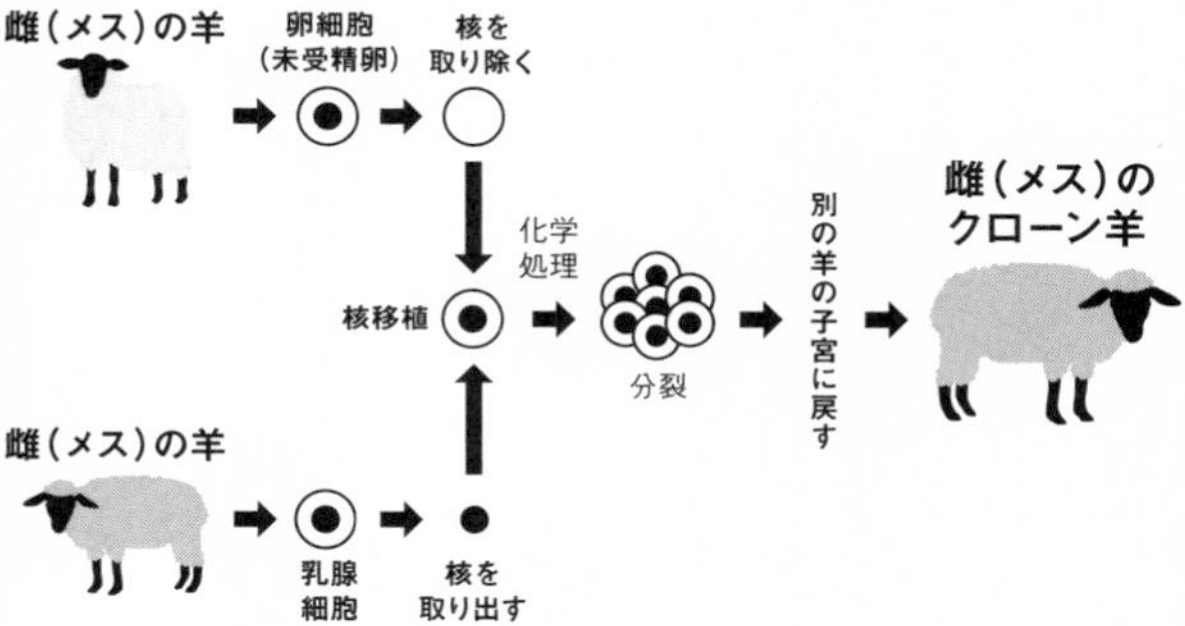

クローン人間には、その人物（A）の遺伝情報が受け継がれるのですが、核を移植された卵子（クローン胚）は女性の子宮に戻さなくてはならず、その後は通常の出産と同じ方法で生まれます。ですから、生まれた子どもを見ても、それがクローンかどうかはまったく分かりません。このクローン人間は、いわば**年齢の違ったAの「一卵性双生児」**と言えます。

　したがって、科学者の*リチャード・ドーキンスが「体細胞クローン羊」誕生の報に対して、「科学と論理は共に、何が善で何が悪か

リチャード・ドーキンス　1941年生まれ。イギリスの進化生物学者・動物行動学者。主な著作に『利己的な遺伝子』がある。

という問いには答えられない」と断ったうえで、早い時期に次のように語ったことは注目してよいでしょう。

クローン羊に対する世間の反応はさまざまだが、クリントン大統領以下、こんなことは人間には許されないという含意はあったようだ。（中略）だが、クローニングはそれほどいとわしく、可能性すら考えてはいけないものだろうか。（中略）ダーウィンが自説を述べた時と同じように、これも殺人の告白をするくらいの勇気がいるが、私はクローンをつくってみたいと思う。(5)

ドーキンスは、「一卵性双生児はクローンであり、同じ遺伝子をもっている」と指摘したうえで、「一卵性双生児を個性も人格もないゾンビだと言った人はいない」と強調しています。そして、クローン人間が年齢の異なる「一卵性双生児」であるとすれば、クローン人間を恐れたり、禁止する理由もないわけです。ドーキンスは結論として、次のように語っています。

民主的で自由な世の中を望むなら、誰もが納得する理由がない限り、他人の希望を妨げるべきではない。ヒト・クローンについても、それを求める人が出た場合、禁止を主張するにはクローニングが誰に対しどんな害があるのか、明示する責任がある。(6)

現在のところ、クローン技術はまだ完成していないとしても、それが安全で実用的になったとき、それでも禁止する理由があるのでしょうか。

一卵性双生児とクローンは何が違うのか

クローン羊「ドリー」誕生のニュースの後、クローン人間禁止が世界中で叫ばれました。そうしたなかで、アラバマ大学の生命倫理学者G．E．ペンス*は、『誰が人間のクローニングを恐れるか』（１９９８年）を発表し、**クローン人間擁護論**を展開しました。彼がクローン人間を擁護する論拠はどこにあるのでしょうか。それを確認するために、ペンスによる『すばらしき新生命倫理学』（２００２年）を取り上げることにしましょう。

G．E．ペンス
アラバマ大学教授。生命倫理学に関する歴史を整理する一方で、具体的な事例に関する研究を行なっている。

その書に収められた論稿「どうかクローン人間を処罰しないでください！」において、ペンスは、過去のものとなった偏見と闘うのは簡単なのに対して、「現在の偏見と闘うのは容易なことではない」と強調しています。じっさい、過去の偏見として、人種差別や女性差別を考えてみれば、それらを現時点で批判するのはそれほど難しいことではありません。

それでは、「クローン人間を禁止する」という現代の態度はどうでしょうか。ペンスによれば、まさにこの態度こそ偏見に他ならないのです。それにもかかわらず、多くの人はこれを偏見だと気づいていません。ペンスは次のように述べています。

クローニングによって人を生みだすという議論のまわりには、偏見が取り巻いているが、その偏見との闘いに立ち上がった人はほとんどいない。(7)

クローン人間を禁止する場合、しばしば「アメリカ人の〈大多数〉が人間のクローニングを恐れている」とか、「〈ほとんどすべての人〉は人間のクローニングを悪いと考えている」という理由が提出されます。

しかし、この態度をペンスは、「衆人に訴える議論の誤り」と見なすのです。衆人の意見は、必ずしも正しいわけではなく、単なる偏見である場合が少なくありませんから、この意見にもとづいて議論を正当化できないわけです。

この状況を理解するには、1970年代の試験管ベビー誕生の頃を想起するのが役立つかもしれません。30年前では、たいていの人が試験管ベビーを恐れていたのですが、現在では、試験管ベビーはごく普通の出産方法となっています。

じっさい日本でも、試験管ベビーで生まれる割合は増えていて、現在は30人に1人の割合で試験管ベビーだと言われています。そのため、今では「試験管ベビー」という表現さえなくなっているのです。これと同様に、クローン技術によって多くの子どもが生まれるようになれば、そのうちクローン人間というような表現もなくなるに違いありません。

少し学問的な場合には、クローン人間に対する反対意見として、「新たに生まれる子どもは、ユニークなものではなく、原型のコピーであるので、人間の尊厳を掘り崩してしまう」と言われることもあります。そのとき、前提にされているのは、**人が道徳的に価値あるのは、ただゲノムがユニークな場合だけであるる**ということです。しかし、そうだとすれば、一卵性双生児は道徳的な価値を欠いているのでしょうか。

あるいは、クローン人間として生まれた子どもが、その出生の秘密を知ったら、傷つくのではないか、という批判もあります。しかし、この批判も的外れなものだ、とペンスは主張しています。親は、**望ましい人の遺伝子のタイプを選んで子どもをつくるのですから、子どもを傷つけるわけではない**という主張です。

逆に、クローニングによって子どもをつくる方が望ましい場合すらあります。両親が遺伝性の病気の因子をもっている場合、両親の遺伝子がそろったとき子どもに重篤な病気が発生する場合もあります。そのような病気として、ペンスは「テイ＝サックス病」を挙げています。

両親はその因子をもっていても発病しないのですが、二つがともにそろうと発病するのです。そのとき、むしろいずれかの親の遺伝子タイプをコピーして、クローンを作製すれば、「テイ＝サックス病」で苦しむことがなくなります。したがって、「テイ＝サックス病」を避けるためには、クローンを禁止すべきではなく、むしろ容認する方がいいのではないでしょうか。

さらに言えば、「無精子症の男性や子宮内膜症の後で生育可能な卵子をもたない女性」の場合、クローン技術によって自分と遺伝情報がつながった子どもをもつことが可能になります。もしクローン人間を禁止すれば、彼らは生物学的につながりのある子どもをもつことができなくなるのです。その事態は、憂慮すべきことではないでしょうか。どうして、クローン人間は禁止されなくてはならないのか、とペンスは問いかけています。

クローン人間の哲学

そこで、クローン人間に対して、積極的に禁止する論拠を探ってみたいと思います。ドイツの哲学者**ユルゲン・ハーバマス**は、「体細胞クローン羊」のニュースが伝わるとすぐさま、『ツァイト』誌にクローン人間にかんする論稿を発表しました。

その後、2001年には『人間の将来とバイオエシックス』を公刊し、人間に対する遺伝子操作や優生学的プログラミングに対して、規制すべきことを強く主張しています。ここでは、二つの議論を参考にしつつ、クローン人間の是非について考えてみましょう。

ハーバマスによれば、「クローン人間を作製してもよいか？」という問題は、生物学的に決定できるわけではありません。それはむしろ、「規範的な観点」にもとづいて議論しなくてはならない、とハーバマスは言います。そのとき、彼が想定しているのは、「すべての市民の同等な自律に対する相互的な尊敬と結びついた、平等主義的法秩序の原則」です。

しかし、この原則から考えたとき、クローン人間のいったい何が問題なのでしょうか。ハーバマスは、クローン人間の特徴を、次のように規定しています。

遺伝内容を意図的に決定することが意味するのは、クローンにとって、その**誕生以前に他の人がそれに対して定めた判断を、生涯にわたって恒常化させ続けること**である。(8)

しかし、通常の親子関係と比べたとき、クローンの場合はそれほど違うのでしょうか。受け継いだ遺伝情報が、生涯にわたって影響しつづけることは、通常の親子でもクローン人間と変わらないように見えます。また、クローン人間として生まれたとしても、成長するにつれて親から自立し、独自の人生を歩むはずです。クローン人間は、決して奴隷ではありません。とすれば、クローン人間のどこが問題なのでしょうか。

　クローン人間にとって、「誕生の所与性（与えられていること）」は、いかなる偶然的状況でもなく、むしろ意図的な行為の結果である。他の人にとっては偶然な出来事であるものを、クローンは他人に責を帰するのである。利用不可能な領域への、意図的な介入の帰責可能性が、道徳的・法的に重要な区別を作り出すのである。(9)

通常の親子の場合には、遺伝プログラムが子どもに受け継がれても、偶然の結果にすぎません。ところが、クローンの場合には、**どのような遺伝プログラムを受け継がせるか、最初から他人が決定する**わけです。つまり、

「他人が手出しをするか否か」が決定的に重要になる、とハーバマスは考えます。これは、いわば「設計者とその産物」の関係と類似し、両者の間には「人間関係における対称性の条件」が成り立たないのです。しかし、これのどこが問題なのでしょうか。

ハーバマスは『人間の将来とバイオエシックス』において、クローン人間を含め人間に対する遺伝子操作に対して、強い口調で反対していますが、その論拠となるのが次の一節です。

偶然によって操られている種の進化が遺伝子工学の介入可能な分野となるにつれて、ということは、われわれが責任をもつべき行為となるにつれて、作られたものと、自然に生まれてきたものという生活世界では依然としてはっきりと分かれているカテゴリーが非＝区分化してくる。[10]

アリストテレス以来、「技術的に作られた」ものと「自然的に生じた」ものは、「自明の対立項」となってきました。ところが、現代のバイオテクノロジーによって、「われわれが直感的につけている区別」が混乱してくる、というわけです。しかも、ハーバマスによれば、この混乱は「ついには、自らの肉体的存在に対して人格が持っている自己関係にまで影響を与えるようになる」とされます。

ここでハーバマスが念頭に置いているのは、ハンナ・アレント*の「**出生性（natality）**」という概念です。これは、人間は出生することによって、自分独自の生命が始まる、という考えです。ハーバマスの考えでは、**クローン人間の場合、この「出生性」がなくなってしまう**、というわけです。

こうしたハーバマスの議論に対して、注目したいのは、現代のバイオテクノロジーによってアリストテレス以来の思考様式が変更を被る、という点です。今まで自明視されてきた自然―技術の「対立項」が、現代において非＝区分化され、混乱してくるのです。とりわけ、人間が技術の対象となるとき、この「非＝区分化」は重大な意味をもっているのです。

今まで、技術が向かう先は、人間以外のものでした。ところが、バイオテクノロジーによって、その技術は人間に向かい始めたのです。自然を変える技術だったものが、人間の自然（本性 Nature）を変えるようになり始めたのです。

ハンナ・アレント
ドイツ出身の哲学者、思想家。著作に『人間の条件』などがある。

この状況に賛成するにしろ反対するにしろ、私たちに到来している現実はしっかりと見ておく必要があります。クローン人間問題は、現代の歴史的な状況を照らし出しています。

ユルゲン・ハーバマス（1929〜）

ドイツの哲学者。フランクフルト大学元教授。現存する哲学者のなかで、おそらく一番有名なスター哲学者である。フランクフルト学派の第2世代に属し、現代社会に対して批判的な観点からさまざまなメッセージを発信してきた。「コミュニケーション行為理論」を提唱し、近代の合理性を擁護して、フランスやアメリカのポストモダン思想に対して批判を展開した。21世紀前後から、自然主義を批判して宗教との対話を図っている。

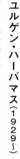

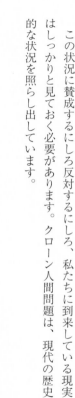

第3節

再生医療によって永遠の命は手に入るのか

寿命革命はすでに始まっている

人間に対する生命操作のもう一つの側面を見てみましょう。これまでの操作が「誕生」にかかわるものだったので、今度は「死」にかかわるテクノロジーを考えてみたいと思います。

今まで、人間にとって、「老化」は必然的であり、「死」が訪れることは明らかだと思われていました。これは、生物（「死すべきもの」）として逃れられない「運命」であり、そのためにかえって、不老不死の物語が古今東西作られてきたと言えます。ところが、近年「寿命革命」が唱えられ、夢の「若返り」が語られ始めたのです。バイオテクノロジーによって、「老化」や「死」が克服されるかもしれない――そんな期待が、最近急速に高

人間の平均寿命

	クロマニョン人の時代	18年
	古代エジプト	25年
1400年	ヨーロッパ	30年
1800年	ヨーロッパおよびアメリカ合衆国	37年
1900年	アメリカ合衆国	48年
2002年	アメリカ合衆国	78年

出典：レイ・カーツワイル著 井上健監訳（『ポスト・ヒューマン誕生』2005年、邦訳・NHK出版）

まっています。

たとえば、レイ・カーツワイルが『ポスト・ヒューマン誕生』（2005年）で示した平均寿命の表を見てみましょう。

この表を見て驚くのは、生物的な条件と考えられる寿命が、歴史の進展とともに大きく変わっていることです。およそ200年前と比べても、2倍以上になっています。もちろんこれは、公衆衛生や医学の進歩と無関係ではなく、単に「生命の長さが延長した」とは言い切れませんが、それでも平均寿命が延びていることは否定できないと思います。

最近では、「**寿命革命**」が唱えられ、**平均寿命が１００歳になる**のは、そう遠くないようです。たとえば、カーツワイルはその著書のなかで、次のような予言を語っています。

今、われわれは存在の基盤となるパターンのストックが保存できるようになるという意味で、パラダイム・シフトを迎えつつある。人間の寿命は着実に延びており、やがてその伸長はさらに加速するだろう。現在、生命と病の根底にある情報プロセスのリバースエンジニアリングが始まったところだ。ロバート・フレイタスは、老化や病気のうち、医学的に予防可能な症状の50％を予防すれば、平均寿命は１５０年を超えるだろうと予測する。さらに、そういった問題の90％を予防すれば、平均寿命は５００年を超える。99％ならば、１０００年以上生きることになるだろう。(11)

この想定がどこまで可能か定かではありませんが、現時点でも、平均寿命が延びていくことは多くの科学者の共通の見解のようです。しかし、寿命だけが延びても、老化した状態で生き続けることは、かえって不幸かもしれません。『ガリバー旅行記』でも描かれていますが、老化による衰えが永続することは、呪いのように感じられます。

しかし、その心配も杞憂になるかもしれません。ケンブリッジ大学遺伝学科の科学者オーブリー・デ・グレイ*の報告として、カーツワイルは次のように語っています。

デ・グレイは、みずからが目指すのは、「遺伝子工学で老化に打ち勝つこと」、つまり年をとっても身体や脳がもろくなったり病気にかかりやすくなったりしないようにすることだと説明している。彼が言うように、「遺伝子工学で老化に打ち勝つための核となる知識は出そろった。あとはそれらをひとまとめにするだけなのだ」。彼は、「若返って元気になった」マウスは10年以内に実現すると信じており、そうなると世論に劇的な影響をおよぼすだろう、と述べている。(12)

ところが、すでに、**動物実験の段階で、「若返り」が可能になっている**、と伝えられています。2015年に放送されたNHKスペシャル「ネクス

オーブリー・デ・グレイ
1963年生まれ。著述家、生命延長を研究するケンブリッジ大学研究員。

トワールド 私たちの未来」のなかで、ハーバード大学医学部教授デビッド・シンクレア教授は、生後22か月のマウス（人間では60歳相当）にある物質を投与すると、1週間後に生後6か月（人間では20歳相当）のマウスの筋肉になった、と報告しています。とすれば、夢の「若返り」もそう遠くない時期に可能となるかもしれません。

不老不死になることは幸せなのか

こうした状況に対して、いち早く不老不死のテクノロジーを議論したのが、レオン・カス*によって編集された『治療を超えて』（2003年）です。この書は、もともと当時のアメリカ大統領ジョージ・W・ブッシュによって設立された「生命倫理評議会」の報告書ですが、これにはサンデル（政治哲学）、フクヤマ（政治学）、マイケル・ガザニガ*（脳科学）なども参加しています。メンバーを見ると分かりますが、この委員会は保守的な色合いを強く打ち出しています。その点は、不老不死の議論にも色濃く反映しています。

レオン・カス
1939年生まれ。大統領生命倫理評議会議長。キリスト教にもとづき、生命科学の人間への応用に危惧を覚え、倫理的な規制を主張する。

マイケル・ガザニガ
1939年生まれ。アメリカの心理学者。認知神経科学の分野の指導的な研究者の一人。

しかし、議論に対する賛否は別にして、問題の所在を確認するには便利なので、少し見ておきたいと思います。第4章「不老の身体」の導入部で、最近の状況を次のように概観しています。

ここ数世紀の間に、老化を克服するという目標は、もはや魔法や神話の話に限られなくなってきた。つまり、近代科学の創始者たちが抱いた願望の中心には老化の克服があったのである。かれらは人間の条件を向上させるために、自分たちの計画を通じて自然を支配する可能性を追求したのであるが、向上させるべき人間の条件の中心に老化と死があったのである。しかし、バイオテクノロジーがこうした目標に関して現実に進歩を示すようになり、われわれが若さを延ばす可能性と実質的に長くなった生に直面するようになったのは、つい最近のことである。(13)

ここで確認しておきたいのは、近代科学の願望の中心に「老化の克服」があった、という点です。こうした近代の夢が、まさに現代において実現しつつあるわけです。もはや、夢物語としてではなく、科学的に根拠づけられた現実として、不老の身体が可能となりつつある、というのです。それは、ある意味では人類史始まって以来の出来事と言っていいでしょう。現代のバイオテクノロジーは、今まで自然なものとして授けられた生物的な条件を、自分たちの手で能動的に改変しつつあるのです。不老の身体もその一つと言えます。

こうした到来しつつある現実に対して、どう対処すればいいのでしょうか。『治療を超えて』では、個人レベルと社会レベルに分けて問題点を列挙していますが、明確な論拠がないままに、不老不死のテクノロジーに対して、否定的な印象が提示されています。その内実は、ほとんど信仰表明と言ってよく、論証的な議論の体をなしていません。それでも、これがアメリカ大統領の生命倫理評議会報告として提出されたのですから、その影響は小さくはありませんでした。

老化遅延と生命延長の是非

カスをはじめとしたバイオ保守派たちに対して、真っ向から対立する議論を展開しているのが、カーツワイルが紹介していたイギリスの科学者デ・グレイです。彼は、２００７年に『老化の終焉——われわれの人生で老化を逆転できる若返りのブレイクスルー』を出版し、人間の老化が不可避的な運命ではなく、若返りが可能であることを科学的に解明しています。また、他の論文においてはバイオ保守派が述べる、老化はよいことであるといった言説を、「集団的な催眠」と呼んで激しく批判し、そこから早く脱却することを主張しています。

老化の克服と生命の延長に対して、積極的に賛成する哲学者としては、イギリスのジョン・ハリス*を挙げることができます。彼は、１９７０年代に「**サバイバル・ロッタリー***」という革新的な思考実験を提示して、世界的にも注目されたのですが、２００７年に『能力増強的進化——人間改良の倫理的根拠』を出版して、その健在ぶりを示しています。この書の中で、ハリスはバイオテクノロジーによる「能力増強（エンハンスメント）」をテーマにし、積極的に擁護する立場から議論を展開しています。

その一つの章で、「**不死性**」の問題が論じられています。彼の議論において、まず確認しておきたいのは、現代の状況に対するハリスの認識です。

ジョン・ハリス
哲学者、応用倫理学者。1945年生まれのマンチェスター大学教授。卓抜な思考実験を使って、鋭い問題提起を行なっている。

サバイバル・ロッタリー
臓器くじ。「人を殺してそれより多くの人を助けるのはよいことだろうか？」という問題について考えるための思考実験。

たとえば、彼は次のように述べています。

生命延長治療とそれが可能とする結果の楽観的な議論が、科学や哲学の真剣な議論においてますます増加している。（中略）もしわれわれが、老化過程のスイッチを外すことができるならば、リー・シルヴァーの言葉にあるように、「不死性を人類の遺伝子に書き込む」ことができるだろう。(14)

こうした未来を積極的に肯定するために、ハリスは反対派が提出した批判的論点を一つずつ検討していきます。具体的には、次の五つの論点――**①不公平性　②人生の退屈さ　③人格の同一性の欠如　④人口過剰　⑤健康維持費用の増大**――です。これらの論点は、『治療を超えて』をはじめとして、一般に不老不死に対する批判として共通しています。ハリスは、これらの論点に対しそれぞれ反論したうえで、老化遅延と生命延長に賛成するわけです。しかし、そもそも、その理由はどこにあるのでしょうか。ハリスはきわめて簡潔にこう述べています。

われわれは生命を救うとき、単に死を延期するのである。生命の救出が単に死の延期であるならば、生命の延長治療は生命救出治療であり、またいつも生命救出治療でなければならない。（中略）生命が受容可能な質を持っている限り、われわれは生命を救う道徳的な命令を持っている。

「生命が受容可能な質を持っている」、たとえば、若くて活動的な生活を営むことができるならば、そうした生命は救わなくてはならないし、そのためには生命を延長しなくてはならない、というわけです。しかも、それを可能にするテクノロジーが現実化しつつあるならば、どうして反対する必要があるのでしょうか。ハリスの議論は本人も自覚しているように、かなり楽観的なものですが、その論理はストレートなぶん、かえって強力だと言えます。将来起こるかもしれない問題を、今の時点で不安視して、その研究に歯止めをかけることは、あまり賢明な方法とは考えられません。

第4節

犯罪者となる可能性の高い人間はあらかじめ隔離すべきか

犯罪者には「道徳ピル」を飲ませればいい？

２０１１年10月、中国の広東省仏山市で、痛ましい事故が起こりました。２歳の少女が車にひかれ、その車はそのまま走り去ったのです。これだけでも悲痛な話ですが、さらに恐ろしいことが続きました。重傷を負って動けなくなったその少女を、通行人は見て見ぬふりをして、誰一人助けようとしなかったのです。ずっと道に横たわっていた少女は、さらに別のトラックにひかれて、ついには死亡してしまいました。監視カメラに収められたこの映像が、世界中を駆け巡り、衝撃映像として伝えられたことはご存じかもしれません。

こうした話題を糸口に、オーストラリア出身のプリンストン大学教授ピーター・シンガー*は「ニューヨークタイムズ」紙の記事で、およそ次のようなことを語っています。

脳科学の研究は、他人を援助する道徳的な人と援助しない非道徳的な人の脳で、どのような生化学的相違があるのか明らかにしてきた。この研究が続けば、やがては道徳ピル（他人をより援助するようにさせる薬）に行きつくだろう。そうなると、犯罪者たちに、刑務所に行く代わりに、道徳ピルを飲むという選択肢を提示できるかもしれない。また、政府は、国民の脳を検査して、犯罪を行ないそうな人々を見つけ出し、彼らに道徳ピルを飲むように提案することもできるだろう。もし、これを拒否したら、いつでも居場所が分かるように、ＧＰＳを取り付けたらいいかもしれない。(15)

一見したところ、この記事の内容は現実離れしたＳＦのように思われるかもしれません。たとえば、「道徳ピル」といった薬がはたして製造可能なのか、脳の検査によって犯罪者（あるいは犯罪者予備軍）と非犯罪者を見分けることができるのか、「道徳ピル」によって犯罪を未然に防ぎ、さ

*ピーター・シンガー　87ページ参照。

らに人々をより道徳的にすることが実現するのか、など疑問は尽きません。しかし、このシンガーの記事を読むと、現代における人間（脳）をめぐる状況が、はっきりと浮かび上がってきます。

それは、善悪の判断や直観が脳にもとづいているため、人間の行動を変えるには脳に働きかけなくてはならないという発想です。これは20世紀の末に、脳科学（神経科学）が飛躍的に進展し、ＭＲＩなどの脳画像法によって脳の働きが視覚化されることにもとづいています。これまで脳の研究といえば、頭の中に隠されていて、生きている人間の脳を直接観察することはほとんどできませんでした。それが今や、脳画像法によって、脳の活動が目に見えるようになったわけです。

こうした状況から、今まで前提とされてきた考えや制度を、あらためて検討する必要が出てきたのです。近代社会で通用していたパラダイムが、脳科学の研究とともに、もはや適切でなくなるかもしれません。その点を、ここで少し掘り下げてみたいと思います。

脳を見れば犯罪者が分かる？

シンガーの記事では、脳の検査によって道徳的な人と非道徳的な人の区別ができる、とされています。しかし、そもそも、そのようなことが可能なのでしょうか。おそらく、このときシンガーの念頭にあったのは、ポルトガル出身の南カリフォルニア大学教授アントニオ・ダマシオ*をはじめとした脳科学研究でしょう。ダマシオは、ベストセラーとなった著書『デカルトの誤り――情動、理性、人間の脳』（1994年）のなかで、フィニアス・ゲイジという人物を取り上げ、その人の脳と行動の関係について、定説化された話を提示したのです。ここでは、脳科学者のガザニガの記述を使って、ゲイジについて確認しておきましょう。

フィニアス・ゲイジは、神経心理学の分野で史上もっとも有名な患者の一人である。ゲイジが鉄道工事の現場で仕事をしていたとき、火薬を詰める鉄棒が爆発事故で吹き飛んで、ゲイジの頭を貫通した。この事故のせいでゲイジの前頭部は損傷を受ける。けがから回復したゲイジはうわべは正常に見え

アントニオ・ダマシオ
1944年生まれ。哲学者・脳科学者。主な著作に『デカルトの誤り』がある。

たが、昔から彼を知る人はいくつかの変化に気づき、彼は「もはやゲイジではない」といって嘆いた。事実、ゲイジの性格は一変していた。抑制がきかず、衝動を抑えられず、社会のルールに反した行動をとる人間に変貌していたのである。⒃

ダマシオは、残されたゲイジの頭蓋骨から、脳のどの部分に損傷を受けたのか割り出し、それが「前頭前野の中央部の下側にある眼窩領域」だったことを明らかにしたのです。現在の研究では、この部分に損傷を受けると、行動の抑制がきかなくなり、社会的なルールが守れなくなる、と言われています。それに対して、ゲイジは、知的な活動をする脳の部分には損傷を受けなかったので、知的能力の低下は見られなかったそうです。ここから推測されるのは、**知的な活動と道徳的な活動が、脳の異なる領域で行なわれている**、ということです。

この問題に、有名な「**トロッコ問題**」を使ってアプローチしたのが、ハーバード大学の心理学者ジョシュア・グリーン*です。グリーンは大学や大学院では、哲学を学んでいますが、現在は脳科学や哲学や心理学を横断する

ジョシュア・グリーン
87ページ参照。

ような研究を行なっています。2013年に最初の著作『モラル・トライブズ』を出版しましたが、最初に話題を呼んだのはfMRIを使って「トロッコ問題」にアプローチした論文です。

トロッコ問題というのは、次の二つの状況を想定するものです。ブレーキの利かない暴走電車の進路の先に、5人の作業員がいるとき、ポイントを切り替えると進路が変わるが、その先には1人の作業員がいる、という状況(A)と、同じく暴走電車の先には5人の作業員がいるが、線路の上の陸橋にいる1人の太った男を突き落とすと5人が助かる、という状況(B)です。

この二つを質問すると、多くの場合、対立する答えが返ってきます。Aの状況では、「5人を救うために、1人を犠牲にする」のですが、Bの場合には「5人を救うために1人を犠牲にしない」のです。「5人か1人か」という問題なのに、同じ人の内部で答えが変わります。この違いが生じるのはなぜなのか、長い間論争されてきたのですが、グリーンは脳画像法を使って、一つの解答を与えたのです。

グリーンによると、Aの状況で判断しているのは、前頭前野背外側部

グリーンのトロッコ問題

Aの状況
そのままでは５人の犠牲が出るが、
ポイントを切り替えれば１人の犠牲

Bの状況
何もしなければ５人の犠牲だが、
１人を突き落とせばその犠牲で済む

（DLPFC）であり、この部分は冷静に知的な推論を行なうことができます（5人＞1人）。これに対して、Bの状況で判断するのは、前頭前野腹内側部（VMPFC）であり、ここでは情動や感情が大きく作用するのです。太った男を落とすかどうかは情動に作用し、動揺させるため、選択されないわけです。逆に、ゲイジのようにこの部分に損傷を受けると、太った男を突き落とすのに躊躇しなくなるそうです。こうして、**道徳的な態度と脳の活動が連関づけられるようになった**のです。

近代的な刑罰制度はもう役に立たないのか

もっとも、心のあり方や行動の仕方に対して、脳科学が全面的に解明できたわけではありません。グリーンにしても、そうした脳決定論を唱えようとしているわけではありません。脳と犯罪の相関性についても、詳細なことはほとんど分かっていないと言えます。脳画像を見たところで、その人の心のあり方や行動の仕方がどこまで分かるのか、疑問を呈する研究者は少なくありません。たとえば、アメリカの法学者グッドイナフ*とドイツ

オリバー・グッドイナフ
バーモント・ロー・スクールの教授。デジタルテクノロジー・バイオテクノロジーが法にどのように影響するかを研究している。

の脳科学者ブレーンが書いた論文「法と正義における規範的判断への神経科学的アプローチ」（２００４年）を見ると、そのあたりの状況がよく分かります。彼らは、論文の結論として次のように述べています。

認知神経科学の方法による規範的判断の研究が流行中であることは、時宜に適している。その学問は探究の複雑なプログラムの初期段階に過ぎないけれども、すでに進歩してはいる。（中略）法と正義の神経科学的探究は、もっとずっと初期の段階にある。[17]

しかし、今のところ初期の段階とはいえ、脳科学研究が今後、法や道徳に与える影響は決定的になると思います。**近代的な刑罰制度においては、人々が合理的〔理性的〕な判断に対する一般的な能力をもっているということが前提**とされていました。だからこそ、犯罪において善悪の判断能力が問題にされるわけです。また、犯罪に対する責任として刑務所に収監するのも、自分の行為に反省を加え精神を矯正するためでしょう。

ミシェル・フーコーは、『監獄の誕生――監視と処罰』において、近代的な監獄制度がどのように成立したかを描いています。そのポイントとなるのは、絶対王政的な残虐な刑から、規律訓練にもとづいて精神を矯正する刑への転換にありました。このとき前提にあるのは、理性的な判断能力をもつ個人という概念です。ところが、フーコー自身も気づいていたように、こうした近代的な刑罰制度は、破綻しているのではないでしょうか。

刑務所に収容したところで、犯罪者の精神が矯正されるとはかぎらないのです。そもそも、個々人が「理性的な判断能力をもつ」と前提できるのでしょうか。責任能力の有無が問題になりますが、それは処罰において機能しているのでしょうか。いったいどうして犯罪者は、その行為に及んだのでしょうか。もしかしたら、その犯罪者は、自由に行為したわけではなく、そうせざるをえなかったのかもしれません。

脳科学研究は、まさにこうした近代的な刑罰制度の前提に問いかけるのです。個人が理性的な判断能力をもち、自由に行為できるというのは本当なのでしょうか。とりわけ、犯罪者の場合、脳の回路に原因があって、犯罪を引き起こしたのではないか、と脳科学者は考えるでしょう。凶悪犯や薬物中毒者の脳が、しばしば例証的に示されることもあります。今のところ、確定的な証拠がないとしても、脳を原因として犯罪行為が生み出されたことは間違いない、とされるでしょう。「犯罪の原因はその人の脳で（に）ある」と言われる日も、遠くないかもしれません。

その時には、処罰のあり方も当然変わってこなければなりません。現在のように、刑務所に収容しても、犯罪の原因は何も変わらないのですから、精神を矯正できないはずです。とすれば、近代的な処罰に代わるどんな方法があるのでしょうか。それを構想すべき時が、やがて到来するのではないでしょうか。私たちは今、近代的な処罰制度の黄昏に立っていることは間違いなさそうです。

第5節

現代は「人間の終わり」を実現させるのか

BT革命が「人間」を終わらせる

これまで、現代におけるバイオテクノロジーの状況を具体的に見てきましたが、ここであらためて「人間概念」に着目したいと思います。というのも、バイオテクノロジー（ＢＴ）革命が、今までの「人間概念」を根底から変えてしまうからです。

それを確認するために、フランスの哲学者ミシェル・フーコーが提示した「人間の死」という考えから始めることにしましょう。フーコーは構造主義が流行していた１９６０年代に、『言葉と物——人文科学の考古学』（１９６６年）を出版し、その最後で「人間の終わり」を次のように宣言しています。

人間は、われわれの思考の考古学によってその日付の新しさが容易に示されるような発明にすぎぬ。そしておそらくその終焉は間近いのだ。もしもこうした配置が、あらわれた以上消えつつあるものだとすれば、われわれはその可能性くらいは予感できるにしても、さしあたってなおその形態も約束も認識していない何らかの出来事によって、それが一八世紀の曲がり角で古典主義的思考の地盤がそうなったようにくつがえされるとすれば――そのときにこそ賭けてもいい、人間は波打ちぎわの砂の表情のように消滅するであろうと。[18]

ここで語られている「**人間の終わり**」は、フーコーの名前とともに一躍有名になりましたが、その意味はあまり理解されませんでした。この言葉が「生物としての人間の終わり」を意味しないことは、言うまでもありません。それでは、この表現で、いったい何が意図されていたのでしょうか？

この問題は、『言葉と物』のサブタイトル（「人文科学の考古学」）に関係しています。フーコーによると、「18世紀末以前には、〈人間〉というものは実在していなかった」とされています。18世紀末に〈人間〉が誕生し、それとともに人文科学も始まるのです。この時フーコーが念頭に置いていたのはカント哲学ですが、簡単に言えば、「**〈人間〉を出発点に据えて、そこからあらゆる実在的領域を認識する**」という考え方です。それをフーコーは、次のように述べています。

われわれの近代性の発端は、人々が人間の研究に客観的諸方法を適用しようと欲したときではなく、〈人間〉と呼ばれる経験的＝超越論的二重体がつくりだされた日に位置づけられる。⑲

ここで明白なように、フーコーが語る〈人間〉とは、近代の発端において、カントによってあみだされた「人間概念」、つまり「経験的＝超越論的二重体としての人間」に他なりません。

注目したいのは、こうした「人間概念」とともに近代が始まり、人間諸科学が形成された、という点です。

ところが、フーコーによれば、こうした〈人間〉が今や消滅しつつあるのです。この兆しを、彼は現代の構造主義的な諸学問（精神分析学・文化人類学・言語学）のうちに見ています。なぜなら、これらの学問が、「人間という概念なしですますことができるばかりか、人間を経ていくこともありえない」、つまり人間を解消するものだからです。こうして、18世紀末から始まった〈人間〉は、現代において終わりつつある、とフーコーは考えるわけです。

そこで、フーコーのアイデアを使って、近代を「〈人間〉の時代」と呼ぶことにしましょう。とはいえ、フーコーのように、18世紀末を近代の始まりと考えるかどうかは別のことです。それでも、近代が「〈人間〉の時代」、あるいは「人間中心の時代」であることは、お認めいただけるでしょう。この「〈人間〉の時代」が、現代において終わろうとしています。

「神を殺した人間」はどこへ向かうか？

フーコーの「人間の終わり」という考えには、ニーチェ*の「神の死」と

*フリードリヒ・ニーチェ
32ページ参照。

いう思想が前提にされています。ニーチェの「神の死」という思想は『ツァラトゥストラ』（1883～85年）で語られていますが、その原型は『悦ばしき知識』（1882年）のなかで「神の殺害」という形で登場します。

狂気の人――君たちはあの狂気の人のことを聞かなかったか。――真昼間、提灯をつけて、広場に出てきて、ひっきりなしに「俺は神を探している！俺は神を探している！」と叫んだ人のことを。（中略）「神が何処へ行ったかって？」と彼は叫んだ、「お前たちに言ってやろう。我々が神を殺したのだ――お前たちと俺が！　我々はみんな神の殺害者だ」[20]。

こうした「神の殺害」というニーチェの表現を使いながら、フーコーは近代における「〈人間〉の時代」と結びつけています。神を殺害することによって、「〈人間〉の時代」が始まる、というわけです。

フーコーは『言葉と物』の最後で、現代における「人間の終わり」を示唆しました。けれども、残念なことに、彼はそれ以後について何も語っていません。それに対して、「神の死」を語るニーチェは、同時に「人間」

の彼方をも語っています。『ツァラトゥストラ』のなかで、彼は次のように述べているのです。

> わたしはあなたがたに超人を教える。人間とは乗り超えられるべきものである。あなたがたは、人間を乗り超えるために、何をしたか。（中略）人間は、動物と超人のあいだに張り渡された一本の綱である。（中略）人間において偉大な点は、彼が一つの橋であって、目的ではないことだ。[21]

「神を殺害した人間」によって、「近代」という時代が始まりますが、ニーチェはこの「人間」を超克すべきだと主張しています。彼の言葉でいえば、「超人（人間を超える）」への道を歩まなくてはならないのです。ニーチェは予言者のようにこの言葉を繰り返していますが、まさに現代（ニーチェにとっての現代）はその始まりと言えるでしょう。

「ヒューマニズム」の終焉

ニーチェやフーコーは、「人間の終わり」や「人間の超克」を語っていましたが、そのとき想定されていたのは「生身の人間」ではなく、あくまで「概念としての人間」でした。その点では、彼らの思想は抽象的なままだったと言えます。ところが、バイオテクノロジーの発展によって、その思想が現実味を帯びてきたのです。こうした気配を嗅ぎとって、20世紀末に、ドイツの哲学者**ペーター・スローターダイク**が、ある講演のなかで、次のように述べました。

> 人間たちが次第次第に、選別において能動的かつ主体的な立場に立つようになること（中略）は、技術的、人間技術的な時代の兆候である。（中略）将来においては、ゲームを能動的に活用し、人間技術のコード体系を定式化することが重要な意味を持つだろう。[22]

この発言そのものは、必ずしも明確とはいえず、そのままでは何を主張しているのかはっきりしません。ところが、講演が行なわれたのは、「体細胞クローン羊」のニュース（1997年発表）直後ということもあって、ドイツではセンセーショナルな受け取られ方をしたのです。スローターダイクはその講演でニーチェの表現（「育種」）を利用しながら、「人間というものは、その内のある者が自らの同類を育種する一方で、他の者たちは前者によって育種されるような獣である」と述べています。これがまさに、**人間に対する遺伝子操作の肯定**と理解されたわけです。

このスローターダイクの講演に対して、「ドイツの良心」と呼ばれるハーバマスやその周辺の思想家たちが反発し、大きな論争になったのです。ハーバマスの議論は、すでに見ておきましたので、ここではスローターダイクの講演そのものの意義を確認しておきたいと思います。というのも、スローターダイクの講演は、バイオテクノロジーの問題を、歴史的な視点から捉えているからです。

スローターダイクによると、「人間」を遺伝子操作する現代は、**ポスト人間主義的時代**と呼ばれていますが、ここで人間主義（ヒューマニズム）という言葉には注意が必要です。周知のことですが、ルネサンス以来、人文学は「Humanities」とされますので、ヒューマニズムは「人文主義」でもあります。つまり、ルネサンス以降の近代において、ヒューマニズムは書物による研究（人文学）であると同時に、人間を中心にした「人間主義」でもあったのです。スローターダイクは、こうした近代の「人文主義＝人間主義」が現代において終焉しつつある、と宣言したわけです。次の文章は読みにくいのですが、その言わんとするところは伝わると思います。

現代社会が、ポスト文芸的、ポスト書簡的に、そしてそれゆえにポスト人文主義的＝ポスト人間主義的に規定されていることは容易に証明できる。こうした定式のなかに、「ポスト」という前綴りがあまりにも大げさだと思う人は、これを「マージナル」という副詞で置き換えてもいいだろう。そうすると、われわれのテーゼは、以下のような形になる。現代の巨大社会の政治的・文化的統合は、もはやマージナルな範囲でしか文芸的、書簡的、人文主義的なメディアによって生産されていないのである。学校・教養モデルとしての近代人文主義＝人間主義は終焉した。(23)

IT革命とBT革命の衝撃

ルネサンス　**書物・文献研究**（人文主義）
神から人間中心へ（人間主義）

⬇

近代　**「人間」の時代**

⬇

現代　**IT革命**（ポスト人文主義）
BT革命（ポスト人間主義）

スローターダイクの表現に拘泥せずに、簡単にまとめてみましょう。ルネサンス以降の近代社会では、印刷術によって可能となった書物の研究である「人文主義（ヒューマニズム）」と、人間を中心におく「人間主義（ヒューマニズム）」が展開されてきました。ところが、現代において、こうした近代ヒューマニズムが終焉しつつあるのです。一方で**情報通信技術の発展（IT革命）によって書物にもとづく「人文主義」が、他方で生命科学と遺伝子工学の発展（BT革命）によって「人間主義」**

が終わろうとしています。近代を支配した書物の時代と人間の時代が、今や終わり始めたのです。

ペーター・スローターダイク（1947〜）

ドイツの哲学者。カールスルーエ造形大学教授。1983年に出版した『シニカル理性批判』が評価されて、メディアに登場するようになる。フランクフルト学派の影響が大きいドイツのなかで、ポストモダン的な思想を展開する異色の哲学者である。20世紀末には、ある講演をめぐってハーバマス派と対立し、大きな論争を巻き起こしている。

本章をより理解するための ブックガイド

超人類へ！ バイオとサイボーグ技術がひらく衝撃の近未来社会

ラメズ・ナム著（2006年／西尾香苗訳／河出書房新社）

脳科学、遺伝子工学、IT技術の発展を背景に、従来の「人間」の能力をはるかに超える「超人類」が誕生しつつある。小著ながら、近未来において具体的に何が可能になるのか、多面的に論じているので、議論の前提として一度は目を通しておきたい。

Unfit for the Future: The Need for Moral Enhancement

I. Persson & J. Savulescu（Oxford UP／2014）

人間の道徳性を向上させる（「モラル・エンハンスメント」）には、どうすればいいのだろうか。脳科学や生命科学の方法によって、モラル・エンハンスメントが可能になるのなら、それは利用した方がいいのだろうか。シンガーの「道徳ピル」と同じ発想が欧米では最近よく見かけられるが、この本はそうした問題の入門になるだろう。

Neuroethics: Challenges for the 21st Century

Neil Levy（Cambridge University Press／2007）

「脳神経倫理学（ニューロ・エシックス）」が始まって、すでに十数年が経過しているが、その全体像はあまりはっきりしない。そのときは、この本を読むといい。レヴィの本が出版されたころ、日本ではまだ「ニューロ・エシックス」の意義はあまり理解されていなかったが、現在ではこの状況も少しずつ変わり始めている。

バイオテクノロジーの現状と、近未来において何が可能になるかを理解するには、ナムの本とビル・マッキベン『人間の終焉』（河出書房新社、原著2003年）を読んでおきたい。この二つは立場が反対ではあるが、現代の状況を掴むには便利である。バイオテクノロジーの未来に賛成するにしろ反対するにしろ、現状把握が前提となるのは間違いない。しかし、人間の行動が遺伝子で決まるのかどうか、（当然のように）疑問がわくかもしれない。そのときは、キース・スタノヴィッチ『心は遺伝子の論理で決まるのか』（みすず書房、原著2004年）を読んでみよう。

過去の優生学の歴史と批判については、ダニエル・ケヴルズ『優生学の名のもとに』（朝日新聞社、原著1985年）が基本的な文献だ。最近の遺伝子改良に対する肯定的な意見としては、ニコラス・エイガー『リベラル優生学——人間のエンハンスメントを擁護して』（未邦訳、2004年）を参照したい。ニューロ・エシックスについては、ニューロ・サイエンスの進展とともに、21世紀になっていろいろ出てきたが、邦訳されたものとしてはマイケル・ガザニガ『脳のなかの倫理』（紀伊國屋書店、原著2005年）を読むことができる。

第4章

資本主義は21世紀でも通用するのか

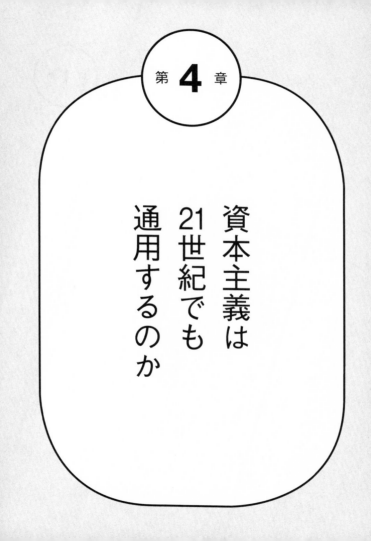

第1節

資本主義が生む格差は問題か

「近代」が終わっても資本主義は終わらない？

前2章では、現代におけるテクノロジー革命の帰趨を、近代（モダン）の終わりという視点から考えてきました。しかし、近代（モダン）が終わるかどうかは、資本主義を抜きに語ることができません。というのも、資本主義は「近代社会」の中心をなしているからです。マルクスの「唯物史観」の公式によれば、社会の変化は、「アジア原始的」→「古典古代的」→「中世封建的」→「近代資本主義的」とされています。とすれば、近代の終わりは、「資本主義の終わり」なのでしょうか。

フランスの哲学者ジャン・ポール・サルトル*は、かつて『弁証法的理性批判』（1960年）のなかで、「マルクス主義を生み出した状況（資本主

ジャン・ポール・サルトル
1980年死去。フランスの哲学者、小説家、劇作家。実存主義を代表する思想家の一人。主な著作に『存在と無』『嘔吐』などがある。

義）がのりこえられていないので、マルクス主義はのりこえ不可能だ」と語ったことがあります。ところが、皮肉なことに、歴史はサルトルの言明とは逆の方向に進んでいったように思えます。

マルクス主義にもとづいて社会を建設した国家が、20世紀の終わりにはことごとく崩壊し、「社会主義」は資本主義にのりこえられたように見えました。**資本主義と社会主義の対立（「冷戦」）が終焉**し、政治学者のフランシス・フクヤマ*が「歴史の終わり」と呼ぶ事態となったわけです。

フクヤマは、西欧の「リベラルな民主主義」、経済的には資本主義が最高の段階と見なし、今日まさに「**歴史の終わり**」が実現したと考えました。この見方からすれば、資本主義は永続し、「近代」という時代は終わらないように見えます。

しかしながら、今日では、フクヤマのように、資本主義の千年王国を信じることは、もはや不可能ではないでしょうか。その状況を、スロベニアの哲学者スラヴォイ・ジジェク*は、『ポストモダンの共産主義』（２００９年）において、次のように表現しています。

フランシス・フクヤマ
153ページ参照。

スラヴォイ・ジジェク
108ページ参照。

1990年代にフクヤマが示したユートピアは二度死ななければならなかったようだ。つまり9・11によって、リベラル民主主義の政治ユートピアは崩壊したが、グローバル市場資本主義の経済ユートピアは揺るぎはしなかった。2008年の金融大崩壊に歴史的な意味があるとすれば、それはフクヤマが夢見た経済ユートピアの終焉のしるしであるということだ。(1)

21世紀を迎えた現在、資本主義に潜む問題点が指摘されたり、資本主義に代わる経済制度が模索されたりしています。それにもかかわらず、今のところ、ポスト資本主義の明確なイメージはまだ描かれていません。とすれば、私たちは資本主義とどう付き合っていけばいいのでしょうか。資本主義はのりこえるべきもの、あるいはのりこえ可能なものでしょうか。はたして、資本主義以外の社会システムを構想できるのでしょうか。この問いにどう答えるにしろ、資本主義が21世紀の中心に位置する問題なのは間違いありません。本章では、資本主義をめぐる問題を、四つの側面から考えてみたいと思います。

「ピケティ現象」の意味するもの

現代の資本主義はどこへ向かっているのか――この問題を考えるために、フランスで2013年に出版されたトマ・ピケティ*の『21世紀の資本』を取り上げることから始めましょう。というのも、タイトルが端的に示しているように、この書はマルクスが19世紀の資本主義を『資本』（邦題は『資本論』）で分析したのに対して、21世紀の『資本論』を自負しているからです。

ご承知のように、この書は2014年に英語版が発行される頃から、世界的に一大ブームとなりました。また、日本でも、この年の末に早々と翻訳され、その人気がさらに高まりました。かなり分厚い経済の専門書で、価格も安くなかったにもかかわらず、小説のようにベストセラーとなりました。2015年1月の段階で、世界全体で累計100万部を超えています。こうした事態を「ピケティ現象」と呼ぶとすれば、この「ピケティ現象」のうちに『21世紀の資本』を理解するヒントが潜んでいます。

ここでは、ピケティの基本的なメッセージに着目してみたいと思いま

トマ・ピケティ
1971年生まれ。フランスの経済学者。経済的不平等の専門家であり、歴史比較の観点からの研究を行なう。

1800年以降の欧米における富の分布状況

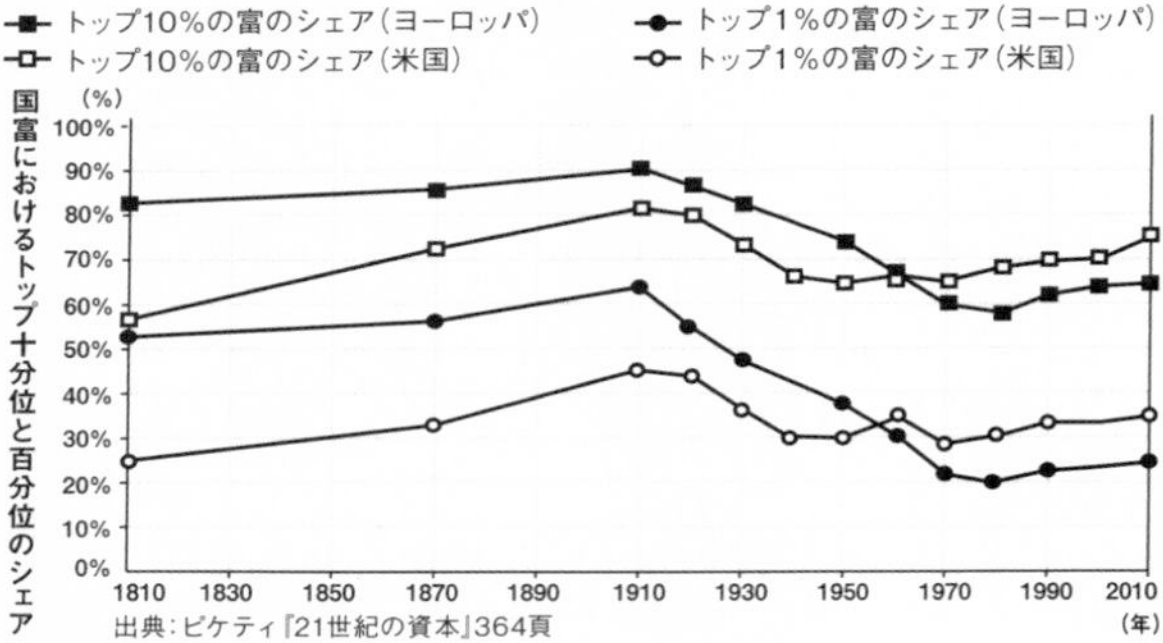

出典：ピケティ『21世紀の資本』364頁

す。ピケティは、『21世紀の資本』において、何を示したかったのでしょうか。それを理解するには、ピケティが提示したグラフの一つに注目するのがよいと思います。

　このグラフで示されているのは、１８００年以降の、アメリカとヨーロッパにおける富の分布状況です。とくに、トップ１％の人々と、トップ10％の人々が、国全体の何％程度の富を占めているか、という観点から描かれています。たとえば、１９１０年を見ると、ヨーロッパでは、上位10％の人々が、全体の90％の富を占めています。また、上位１％の人々では、全体の60％を超える富を持っているのです。これを見ると、このときに、いかに貧富の差（格差）が大きかったのかが分かります。

このグラフによれば、ヨーロッパとアメリカにおける富の偏在（格差）が、歴史的にどう変化したか、即座に理解できます。たとえば、ヨーロッパもアメリカも１９１０年から50年あたりまでは格差が縮小しています。この傾向はだいたい１９７０年ごろまで続きますが、それ以後は再び格差が拡大していくのです。ヨーロッパとアメリカでは、率は違いますが、傾向的には同じように考えることができます。明確なことは、**この傾向が続けば、世界的に格差が拡大していく**ことです。

ここからピケティは、資産に対する世界規模での累進課税を提唱するのですが、その実効性については、困難が伴っています。ただし、ここで注意しておきたいのは、ピケティが格差の拡大傾向を指摘し、その是正を提唱したからといって、資本主義を否定するわけではないことです。この点は、本家マルクスの『資本（論）』とは異なっています。ピケティの場合、資本主義が今後も存続するためにこそ、格差是正のために累進課税が必要になるのです。

ピケティの経済学的分析には、これ以上立ち入ることはしませんが、一つだけ考えておきたいことがあります。そもそも、資本主義は自由な経済活動を根本とするかぎり、格差は必然的に発生するはずです。それなのに、どうして格差を是正すべきなのでしょうか。社会主義でないかぎり、ある程度の格差は許容すべきであるように思われます。しかし、それはどの程度なのでしょうか。また、それが許容される理由はどこにあるのでしょうか。さらに、国内的な格差は是正すべきだとしても、国際的な格差はどうなのでしょうか。

「格差是正」のスローガンは心地よく聞こえますが、その根拠と実効性を問い尋ねると、はっきりしなくなります。

格差は経済ではなく政治問題

そこで、「格差是正」をもっと明確に打ち出した、カリフォルニア大学バークレー校教授ロバート・ライシュ*の『格差と民主主義』（2012年）を取り上げてみましょう。ライシュと言えば、『ザ・ワーク・オブ・ネーショ

ロバート・ライシュ
1946年生まれ。アメリカの経済学者。ビル・クリントン政権時代には労働長官も務めた。

ンズ』（1991年）において、人口2割の「シンボリック・アナリスト」という階層が、アメリカの富を独占するという、「格差社会」の予言的な思想家として知られています。その彼が、2012年、アメリカの大統領選のさなかに書いたのが、『格差と民主主義』です。

この著作でライシュは、アメリカで1970年代以来広がっている格差に対して、「怒り」を込めて書いています。この「怒り」は、2011年ごろから、「1％対99％」という対比で示され、「**ウォール街を占拠せよ！**」（オキュパイ運動）というスローガンで表現されてきました。ピケティがデータによって証明しているように、1970年以後のアメリカでは、経済的な格差は拡大するばかりなのです。

そうした格差拡大のさなかに、リーマン・ショックをはじめとした大不況が重なったのですが、政府はこの不況の原因を作り出した金融界に、なんと国民の税金を使って資金援助をしたわけです。しかも、経営のトップたちが巨額の報酬を得る一方で、一般の人々は退職を余儀なくされ、失業しても何も保障されませんでした。そうした状況を、ライシュは同書で次のように書いています。

ウォール街の大物たちは納税者に救済された後、かつてない繁栄を極めている。だが、私たちの暮らし向きは悪化するばかりだ。CEOたちは平均的労働者の賃金の300倍以上を手にしている。（中略）なのに、平均的労働者のほうは仕事や賃金を失ってきた。賃金に対する企業利益の割合は、世界大恐慌の前以来、最高水準に達している。製薬大手のメルクは従業員1万6000人を一時解雇（レイオフ）し、さらに2万8000人の追加実施を発表したが、同社会長は2010年に1790万ドルの報酬を受け取っている。バンク・オブ・アメリカは3万人の解雇を発表する一方で、CEOは1000万ドルを手中に収めた。(2)

ライシュの議論によれば、格差拡大の原因は、大企業と政府が結びつき、**政府が「大企業やウォール街、金権政治家が望むことに力を入れている」からです**。具体的には、「大企業は、政府を退職した担当官に高給の職を提供したり、再選をめざす有力議員に気前よくキャンペーン資金を提供したりする」わけです。また、ウォール街については、次のように語っています。

　金融界はアメリカでもっとも裕福で影響力が強く、連邦政府ともっとも緊密な関係をもっている。自分たちの世界観と金融関連の利害を共有する財務長官や経済顧問を頻繁に政府に送り込み、議会の主要人物に頻繁に資金援助をしている。これこそが、ウォール街が無条件で救済された理由だ。(3)

　ピケティは『21世紀の資本』において、格差拡大にかんして、「**r（資本収益率）＞g（経済成長率）**」から説明しています。それに対して、ライシュは、経済界が政治と結びつき、「富裕層」に有利な政策を政治家が実施したからだ、と考えるのです。端的に言えば、格差拡大は、政治に原因があるわけです。こうして、ライシュは「1％（大企業）のための政治」から、「99％（国民）のための政治」への転換を要求することになります。

　ライシュの本を読むと、たしかに日本でも納得できる部分が少なくありません。しかし、全体として、共和党に対する批判が目立ち、政治キャンペーンの色彩が強いように感じます。「ウォール街を占拠せよ！」という怒りに共感しつつ、それを政治に反映させるように語っていますが、だからといって彼が共産主義をめざすわけではありません。政敵から、「ロバート・ライシュは密かにカール・マルクスを崇拝する共産主義者だ」と誹謗されたそうですが、彼が格差そのものを否定しているわけではありません。

しかし、それならば、**どんな格差がよくて、どんな格差が悪いのか**、またその理由は何かを示す必要があります。けれども、ライシュはそれについて何も語っていません。しかしながら、それ以前に、そもそも格差批判の理論的根拠はどこにあるのでしょうか。

格差は本当に悪なのか

ピケティやライシュの議論では、現代の資本主義社会では経済的な格差が大きいだけでなく、その格差が増大しつつあると指摘されていました。この事実は、たしかに直観的にも分かりやすく、人々に訴える力をもっています。じっさい、アメリカ大統領バラク・オバマでさえも、当時の一般教書演説で、「所得の格差（不平等）」が「われわれの時代の決定的な問題だ」と述べているほどです。ごく少数の富裕層（1％ないし10％）が湯水のようにお金を使い、多くの国民（99％ないし90％）が質素な生活を余儀なくされるのは、是正すべきだと考えたくなります。

しかし、格差（不平等）は、どうして悪いことなのでしょうか。このような問いを出すと、「そんなことは当たり前だろう！」と叱責されてしまうかもしれません。あるいは、差別主義者として糾弾されることもあるでしょう。けれども、「格差（不平等）＝悪」と前提する前に、一度立ち止まって、そもそも格差（不平等）をどう理解するか、考えてみなければなりません。

なぜなら、ピケティにしてもライシュにしても、格差を完全に否定してはいないからです。それにもかかわらず、格差そのものが「悪い」ことのように見られがちです。しかし、「共産主義」をめざさないのに、どうして格差は解消されなくてはならないのでしょうか。

この問題を考えるとき、ぜひ参照しておきたいのが、ハリー・フランクファート*の『不平等（格差）について』（２０１５年）です。フランクファー

ハリー・フランクファート
１９２９年生まれ。アメリカの哲学者。専門は道徳哲学。

トといえば、日本では『ウンコな議論』（２００６年）という訳で出版された原著が、アメリカではベストセラーになりました。プリンストン大学の名誉教授ですが、端的な表現で読者にはっとさせる議論を展開しています。「格差是正」が叫ばれている現在、フランクファートの議論は貴重な視点を提供してくれます。

たとえば、フランクファートは、「格差解消」といった世間の平等主義的感情を逆なでするように、きっぱりと次のように明言しています。

経済的な平等は、それ自体としては、とくに道徳的に重要なものではない。同様に、経済的不平等（格差）も、それ自体では、道徳的に反論されるものではない。道徳の観点から見れば、誰もが同じものを持つことは重要なことではない。道徳的に重要なことは、各人が十分に持つことである。もし、誰もが十分なおカネをもつならば、誰かが他の人々よりも多く持つかどうかは、特に考慮すべき関心事にはならない。(4)

こうした考えをフランクファートは、「平等主義」と対比して、「**十分性**

格差か、貧困か

	ピケティ、ライシュ	フランクファート
重要性	格差 （不平等）	貧困 （不十分な生活）
課題	格差の解消・縮小 （累進課税）	貧困の救済 （ベーシックインカム？）

の学説（十分主義）」と呼んでいます。つまり、その学説によれば、「おカネに関して道徳的に重要なことは、誰もが十分に持つということである」となります。この学説では、所得が多いか少ないかは、それ自体では問題になりません。むしろ、生活するために十分なおカネがない人（貧者）がいれば、道徳的には、その人を救済する必要があります。こうして、**道徳的に重要なことは、格差ではなく「貧困」**になります。

ここで注意しておきたいのは、フランクファートの議論が「論理的に」展開されていることです。

通常、経済的な格差を論じるとき、あたかも「経済的平等」がよいことであるかのように最初から前提されています。そのため、格差（不平等）が拡大されると、悪いことだから是正すべきだ、と主張されます。しかし、格差（不平等）は、「それ自体で」悪いことなのでしょうか。たとえば、二人の所得が違っていても、それぞれ生活するのに十分なおカネを持っていれば、収入の格差を是正すべきとはなりません。

もちろん、生活するのに「十分なおカネ」とはどの程度か、またそれを保障するにはどうするか――その他具体的な問題がたくさんあります。フランクファートが議論したのは、あくまでも原理的な問題なので、そうしたことを細かく追究してはいません。しかしながら、「**格差是正**」か、それとも「**貧困の救済**」かでは、具体的な政策も変わってきます。したがって、格差（不平等）の問題を考えるためには、その根本にまで立ち返って問い直してみることも必要ではないでしょうか。

第2節 資本主義における「自由」をめぐる対立

いったい何からの「自由」なのか

資本主義は、私的所有の自由を前提にしたうえで、経済活動における利潤追求の自由を中心としたシステムですから、資本主義の根底には自由の原理があります。そのため、西欧の資本主義国は、自分たちの政治体制を、しばしば自由主義と呼んでいます。資本主義を批判したマルクスでさえも、資本主義下の労働者の状況を、やや皮肉交じりで「二重の意味での自由」と語りました。すなわち、自分の労働力以外何も売るものを持っていない「自由」と、そのために自分の労働力を売る「自由」です。

しかし、一口に「自由」といっても、その意味は多様なので、語る人によって共通の理解が成り立っているわけではありません。しかも、現代では資本主義そのものが、19世紀の頃の産業資本主義から大きく転換していますので、「自由」のあり方も根本的に変わっているはずです。

そこで、無用の混乱を避けるためにも、「自由」をどう理解したらいいのか、あらためて確認しておきたいと思います。今日、「自由」をめぐる議論は1970年代以降、二つの分野で活発に展開されてきました。一つは政治哲学のなかで、もう一つは経済活動のあり方をめぐって重要な問題となったのです。

最初にまず、政治哲学の議論から確認しておくことにしましょう。注目しておきたいのは、自由主義という場合、英語でどう表現するのかということです。単純に考えれば、リベラリズムといえばよさそうですが、アメリカではリベラリズムは伝統的に特別な意味をもっています。そのあたりの事情を理解するために、**二つの自由主義**を見ておきましょう。

1971年に、ハーバード大学のジョン・ロールズ*が『正義論』を発表して、世界的に**リベラリズム***ブームとなりました。しかし、ここでリベラリズムという場合、個々人の「自由」を重視する立場を指すだけでなく、「弱者救済」的な格差原理をも提唱しています。平等主義的な観点から、

ジョン・ロールズ
2002年死去。アメリカの政治哲学者。リベラリズムにおける議論に多大な影響を与えた。

リベラリズム
「自由主義」と訳されるが、時代や文脈に応じて多義的な意味をもつ政治思想。現代では、ロールズの『正義論』によって新たに注目された。

政府によって福祉政策を実施したり、個人の自由な経済活動に規制をかけたりするわけです。この点で、リベラリズムを自由主義と訳すと、誤解を生むことになります。

これに対して、同じハーバード大学のロバート・ノージック*は、1974年に『アナーキー・国家・ユートピア』を発表して、個人の「自由」を擁護するために、ロールズ流のリベラリズムを厳しく批判しました。ノージックは、ロールズの「格差原理」を認めず、福祉政策のような、政府による介入を拒否しました。彼の立場は、個々人の「自由」な活動を全面的に擁護する点で、「**リバタリアニズム*（自由至上主義）**」とも呼ばれています。ノージックによると、盗みや暴力といった不正な手段によって取得するのでないかぎり、「自由」な経済活動は、たとえ個人間で格差が生じようと、認めなくてはなりません。

おそらく日本語で自由主義という場合、ロールズのリベラリズムよりもノージックのリバタリアニズムの方が近いのではないでしょうか。とはいえ、リベラリズムが個人の自由を否定するわけではありません。むしろ、ロールズでさえも、個人の「自由」を第一原理としていますし、たとえば

ロバート・ノージック
2002年死去。アメリカの哲学者。リバタリアニズムの代表的思想家。

リバタリアニズム
自由に最大の価値を置く個人主義的な立場。個人的な自由、経済的な自由の双方を重視する。

同性愛や中絶のような政治的自由などは積極的に認めています。その点では、リベラリズムを自由主義と呼ぶことは、あながち間違いとは言えません。

しかし、同じ自由主義でも、人々の社会的・経済的な格差（不平等）にどう対処するかで、リベラリズムとリバタリアニズムはまったく対立しています。リベラリズムの場合には、「社会で最も不遇な人々」を救済するために、政府が積極的に介入し福祉政策を推進するのに対して、リバタリアニズムはそれを拒否するのです。この点からすると、リベラリズムは「大きな政府」、リバタリアニズムは「小さな政府」をめざす、と言うこともできるでしょう。

こうした現代のリベラリズムの展開から分かるのは、「自由」といっても、その具体的な内実を問題にしないかぎり、曖昧な議論にしかならないことです。したがって、現代社会では、どのような「自由」を構想すべきか、改めて考える必要があるのです。

ネオリベラリズムとは何か

政治哲学の展開とは独立して、現代において「自由」をきわめて重視したのが、経済学における自由主義です。これは一般に、**「ネオリベラリズム（新自由主義）」**と呼ばれています。これを理論として提唱したのは、フリードリヒ・ハイエク*やミルトン・フリードマン*です。とはいえ、彼ら自身が、この「ネオリベラリズム」という言葉を使ったわけではありません。ハイエクとフリードマンは、1974年と1976年に、それぞれノーベル経済学賞を受賞し、彼らの自由主義が経済学の流行となったのです。

ハイエクやフリードマンの経済学理論が「ネオリベラリズム」と呼ばれるようになったのは、イギリスのサッチャー首相やアメリカのレーガン大統領が、彼らの理論にもとづいた政策（民営化、規制緩和、小さな政府、市場主義など）を実施したからです。そうした「ネオリベラリズム」について、デヴィッド・ハーヴェイ*は次のように説明しています。少し長くなりますが、その影響力の大きさを知るために、引用しておきたいと思いま

フリードリヒ・ハイエク
1992年死去。オーストリア・ウィーン生まれの経済学者、哲学者。オーストリア学派の代表的存在である。

ミルトン・フリードマン
2006年死去。アメリカの経済学者。ネオリベラリズムの代表的存在。

デヴィッド・ハーヴェイ
1935年生まれ。イギリスの地理学者。専門は人文地理学・社会理論・政治経済学。

す。

1970年代以降、政治および経済の実践と思想においてネオリベラリズムへのはっきりとした転換がいたるところで生じた。社会福祉の多くの領域からの国家の撤退、規制緩和、民営化といった現象があまりにも一般的なものになった。ソ連崩壊後に新たに生まれた国々から、ニュージーランドやスウェーデンのような古いタイプの社会民主主義的福祉国家にいたるまで、ほぼすべての国家が、時に自発的に、時に強制的な圧力に応える形で、何らかのネオリベラリズム理論を受け入れるか、少なくとも政策や実践の上でそれに適応している。(中略)そのうえ、今やネオリベラリズム路線の唱道者たちが、教育の場で、(大学や多くの「シンクタンク」)、メディアで、企業の役員室や金融機関で、国家の重要諸機関(財務省や中央銀行)の中で、世界の金融や貿易を規制する国際通貨基金(IMF)や世界銀行や世界貿易機構(WTO)といった国際機関の中で、かなりの影響力をもつ立場を占めるにいたっている。要するに、ネオリベラリズムは言説様式として支配的なものとなったのである。(5)

ここで「ネオリベラリズム」がどうして「ネオ（新）」なのかを理解するために、リベラリズムという言葉の歴史的変化を、確認することにしましょう。

まず、19世紀までのリベラリズムは「古典的リベラリズム」と呼ばれ、経済活動の「自由放任（レッセ・フェール）」を原理とし、政府による市場介入を斥けました。ところが、20世紀になると、経済的な不況に対処するため、政府が市場に積極的に介入したり、福祉政策を実施したりするようになりました。こうした「貧困からの自由」を求める「社会的リベラリズム」が、イギリス（ケインズ経済学*）やアメリカ（ニューディール政策*）で提唱されるようになったのです。ロールズのリベラリズムも、この伝統に根ざしています。

ところが、1970年代になると、こうした政府介入型のリベラリズム、ケインズ経済学にもとづくリベラリズムに対する批判が起こってきました。この勢力は、20世紀型のリベラリズムを厳しく批判して、「新たなリベラリズム」を唱えたわけです。これが、「ネオリベラリズム（新自由主

ケインズ経済学 ジョン・メイナード・ケインズの著書を中心に展開された需要重視のマクロ経済学。

ニューディール政策 当時の米大統領フランクリン・ルーズベルトが世界恐慌を克服するために行なった一連の経済政策。

義)」として20世紀末に、世界的に波及していきました。

しかし、「ネオリベラリズム」には、ナオミ・クライン*の『ショック・ドクトリン』(2007年)のように、近年では厳しい批判が展開されています。**「市場原理主義」**によって格差を拡大し、富裕な人々や企業・国家を優遇する政策が「ネオリベラリズム」だ、というわけです。「ネオリベラリズム」の弊害が、さまざまな形で現れるようになっています。そのため、「ネオリベラリズム」にどう対処すればいいのか、今日あらためて検討する必要が生じたのです。

19世紀の「古典的リベラリズム」:古典派経済学の「自由放任」

⬇

20世紀の「社会的リベラリズム」:ケインズ経済学の「市場介入」、福祉政策

⬇

20世紀末の「ネオリベラリズム」:ハイエク、フリードマンの「市場原理主義」

ナオミ・クライン
1970年生まれ。カナダのジャーナリスト、作家、活動家。主な著作に『ブランドなんか、いらない——搾取で巨大化する大企業の非情』がある。

自由主義のパラドックス

これまで自由主義の多様なあり方を見てきましたが、ここで基本的な問題に立ち返っておきたいと思います。それは、そもそも社会制度として自由主義が可能なのか、という問題です。というのも、自由主義は原理的に成立できない、かもしれないからです。しかし、こんなことを言っても、その意味が分かりにくいと思いますので、この問題を提示した**アマルティア・セン**の議論を見ておきましょう。

センといえば、1998年にアジア人初のノーベル経済学賞を受賞したハーバード大学教授ですが、1970年に発表した論文において、「**自由主義のパラドックス**」を提起したのです。この問題は発表した直後、それほど話題にならなかったのですが、数年たってその重大さが気づかれて、論争が巻き起こりました。というのも、簡単な論理的形式化によって、自由主義の不可能性を論証してみせたからです。

その意図を理解するために、ここでは2000年代の著作（『正義のアイデア』2009年）の例を取り扱うことにしましょう。センが提示したのは、次の事態です。

ここにポルノ本とされてきた1冊の本があり、それを読むかもしれない二人の人がいるとしよう。プルード（堅物）と呼ばれる人はこの本を嫌い、それを読みたいとは思っていない。しかし、その本が大好きなルード（猥褻）と呼ばれる人がそれを読むことによってもっと大きな迷惑を受けると思っている（プルードは、ルードがその本をクスクス笑いながら読むのに特に悩まされている）。一方、ルードはその本を読むのが大好きであるが、プルードがそれを読むことの方を望んでいる（苦しいほど、ルードは望んでいる）[6]。

何の変哲もない例のように見えますが、どうしてこれが「自由主義のパラドックス」と呼ばれるのでしょうか。

まず、それぞれの行動の選択として、プルードが読む（P）・ルードが読む（L）・誰も読まない（O）の三つが考えられます。これをもとに、二人の選好の順序を考えると、次のようになります（不等号「上＞下」は、「上が下よりもよい」を意味します）。

プルードの場合：O＞P＞L
ルードの場合：P＞L＞O
二人とも望むこと：P＞L（共通のルールとすべし）…①

また、この二人からなる社会を考えてみると、それが「自由」な社会であれば、他人に何ら関与しなければ、個人の選択を自由にできます。そこで、この自由の原理にもとづいて、二人の選好をもう一度考えてみると、次のようになるはずです。

プルードの場合：O＞P（こんな本は読みたくもない）
ルードの場合：L＞O（この本を読まないよりも読んだ方が楽しい）
二つを合わせると：L＞O＞P　すなわちL＞P…②

ここで、①と②を比較してみますと、まったく逆になっているのです。
ここで①は「パレート原理」と呼ばれ、「社会の全成員が一致してある社会状態を選好するならば、社会全体にとってもその状態を選択するのが望ましいと判断されねばならない」とされます。二人ともが、LよりもPが読む方がよいと考えていますから、全体としてP∨Lとすべきでしょう。ところが、個人的自由の原理から言えば、②L∨Pが出てくるのですから、全体の決定とは矛盾するわけです。そのため、センは次のように述べています。

パレート原理とリベラリズム原理を所与とすれば、われわれが思いつくどんな解決策よりも、他の解決策の方が優れたものとなり、選択の矛盾に突き当たるように思われる。(7)

とするならば、自由主義は社会においてどのように成り立つのか、あらためて問題になるのではないでしょうか。

アマルティア・セン（1933〜）

インド出身の経済学者、哲学者。ハーバード大学教授。9歳の時に、ベンガル大飢饉を経験し、貧困や不平等がどうして生じるのか、またそれをどのように克服するかを考えるようになる。1998年にアジア人としては初のノーベル経済学賞を受賞する。リベラリズムの立場から、「潜在能力（ケイパビリティ）」という概念に注目し、ロールズとは異なる「正義論」を構想している。

第3節

グローバル化は人々を国民国家から解放するか

21世紀の〈帝国〉とは何を指すのか

マルクスが資本主義の崩壊を予言したとき、想定していたのは19世紀の「産業資本主義」でした。ところが、資本主義はマルクスの想定を超えて生きのび、20世紀を迎える頃には「金融資本」と結びついた「帝国主義」が成立し、さらに21世紀になると新たな段階に到達しました。その新たな資本主義を、アントニオ・ネグリ*とマイケル・ハート*は2000年に出版した書物で**「帝国」**と呼びました。その書物の冒頭で、彼らは「帝国」の特徴を次のように描いています。

〈帝国〉が、私たちのまさに目の前に、姿を現わしている。この数十年のあ

アントニオ・ネグリ
1933年生まれ。イタリアの哲学者、政治活動家。スピノザやカール・マルクスの研究で知られる。

マイケル・ハート
1960年生まれ。アメリカの哲学者、比較文学者。著作に『ドゥルーズの哲学』がある。

いだに、植民地体制が打倒され、資本主義的な世界市場に対するソヴィエト連邦の障壁がついに崩壊を迎えたすぐのちに、私たちが目の当たりにしてきたのは、経済的・文化的な交換の、抗しがたく不可避的なグローバリゼーションの動きだった。市場と生産回路のグローバリゼーションに伴い、グローバルな秩序、支配の新たな論理と構造、ひと言でいえば新たな主権の形態が出現しているのだ。〈帝国〉とは、これらグローバルな交換を有効に調整する政治的主体のことであり、この世界を統治している主権的権力のことである。(8)

ここでネグリとハートが「帝国」と呼んでいるのは、具体的には、20世紀末に進展した**グローバリゼーション**に対応しています。たとえば、彼らが次のように述べるとき、グローバリゼーションについての記述と理解できるでしょう。

生産と交換の基本的要素——マネー、テクノロジー、ヒト、モノ——は、国境を越えてますます容易に移動するようになっており、またそのため国民国家は、それらの流れを規制したり、経済にその権威を押しつけたりする力

を徐々に失ってきているのだ。(9)

『〈帝国〉』が出版されたとき、世界的にセンセーショナルな反響を呼び起こし、「帝国」という言葉が、いわば流行語のようになりました。とくに、ジジェクが「21世紀の『共産党宣言』?」と呼んで、その重要性を強調しましたので、『〈帝国〉』の評価はいやがうえにも高まりました。ところが、そうした流行とは裏腹に、『〈帝国〉』には根本的な発想において、曖昧さが潜んでいるように思えます。

たとえば、ネグリとハートが「帝国」を語るとき、いったい何を想定しているのか、はっきりしないのです。彼らは、「帝国」をグローバリゼーションのプロセスによる「新たな世界秩序」と呼んでいます。グローバリゼーションが資本主義的な経済的活動であるとすれば、「帝国」はそれに対応する政治的な組織と考えることができます。ところが、そうした政治的組織として、彼らが何を想定しているのか、明確とは言えないのです。

まず、具体的な「アメリカ帝国」でないことは明言されています。そうだとしたら、「帝国」が何を指し示しているのか、語る必要があります。

ところが、ネグリとハートは「帝国」が具体的に何を指すのか、ほとんど語っていません。たとえば、領土を求める「帝国主義」と対比しながら、彼らが「帝国」について次のように語るとき、いったい何を想定しているのか分かりません。

帝国主義とは対照的に、〈帝国〉は権力の領土上の中心を打ち立てることもなければ、固定した境界や障壁にも依拠しない。〈帝国〉とは、脱中心的で脱領土的な支配装置なのであり、これは、そのたえず拡大し続ける開かれた境界の内部に、グローバルな領域全体を漸進的に組み込んでいくのである。〈帝国〉は、その指令のネットワークを調節しながら、異種混交的なアイデンティティと柔軟な階層秩序、そしてまた複数の交換を管理運営する。

「帝国」にかんするこうした曖昧さは、社会変革の理論としては決定的な難点だと思われます。というのは、何に対して闘えばいいのか、はっきりしないからです。マルクスが想定したのは近代的な労働者やプロレタリアートでしたが、ネグリとハートはグローバリゼーションにもとづく多様な人々（「**マルチチュード**」）を「帝国」に対抗する勢力と考えました。しかし、「マルチチュード」とは具体的に誰を指すのか、明確とは言えません。

こうして、「21世紀の『共産党宣言』?」と呼ばれたにもかかわらず、『〈帝国〉』は打倒すべき敵も、また打倒する主体も明確に規定できなかったように見えます。そもそも、グローバリゼーションに対応した「新世界秩序」とは何を指すのでしょうか。また、グローバリゼーションによって、国民国家は本当に衰退するのでしょうか。

アメリカ「帝国」の終焉

『〈帝国〉』の出版当時、ネグリとハートが否定したにもかかわらず、彼らの「帝国」を「アメリカ帝国」と重ねて読む人が少なくなかったと思います。じっさい、90年代の初め、ソヴィエト連邦が崩壊して以来、アメリカは一極覇権主義のもとで、あたかも「帝国」のように、グローバルな政治支配を追求してきました。そうした状況を背景に、『〈帝国〉』が出版されたのですから、「帝国＝アメリカ」と理解されたのは、無理からぬことだと思います。しかも、『〈帝国〉』を読むと、ネグリやハートの意に反して、「アメリカ帝国」の強大さが実感されます。さらに、「9・11同時多発テロ」やアフガニスタン攻撃、イラク戦争などは、まさに「世界の警察」として、アメリカが「帝国」を演出しているように見えました。

こうした「アメリカ帝国」像に対して、真っ向から対立する議論を展開したのが、フランスの人類学者エマニュエル・トッド*です。彼は、メディアで「アメリカ帝国」の強大さが誇張されていたさなかの2002年に、『帝国以後』を発表して、「アメリカ帝国」の崩壊を予言したのです。トッドは、ソヴィエト崩壊後の10年を次のように総括しています。

最近10年間に起きたこととは、どういうことなのか？　帝国の実質を備えた二つの帝国が対決していたが、そのうち一つ、ソヴィエト帝国は崩れ去った。もう一つのアメリカ帝国の方もまた、解体の過程に入っている。しかしながら共産主義の唐突な転落は、アメリカ合衆国の絶対的な勢力伸長という幻想を産み出した。ソ連の、次いでロシアの崩壊ののち、アメリカは地球全

エマニュエル・トッド
1951年生まれ。フランスの人口学・歴史学・家族人類学者。著作に『帝国以後』『シャルリとは誰か？　人種差別と没落する西欧』などがある。

域にその覇権を広げることができると思いこんだが、実はその時すでに、おのれの勢力圏への統制も弱まりつつあったのである。(10)

「アメリカ帝国の終焉」というテーゼは、同じフランスの思想家ジャック・アタリ*も語っています。アタリは『21世紀の歴史』(2006年)において、世界が今後どこへ向かうかを描いています。「アメリカ帝国の終焉」と題された第四章で、彼は年代を明確にしながら、次のように予言しています。

2035年ごろ、すなわち長期にわたる戦いが終結に向かい生態系に甚大な危機がもたらされる時期に、依然として勢力をもつアメリカ帝国は、市場のグローバリゼーションによって打ち負かされる。特に、金融の分野で、保険会社などの巨大企業がアメリカを打ち破る。これまでの帝国と同様に、アメリカは金融面・政治面で疲弊し、世界統治を断念せざるを得ないだろう。世界におけるアメリカの勢力は巨大であり続けるであろうが、アメリカに代わる帝国、または支配的な国家が登場することはない。そこで、世界は一時的に〈多極化〉し、10か所近く存在する地域の勢力によって機能していくこ

ジャック・アタリ　1943年生まれ。フランスの経済学者、思想家、作家。仏大統領補佐官、初代欧州復興開発銀行総裁も務めた。

とになる。(11)

ここで注目しておきたいのは、トッドやアタリの「アメリカ帝国終焉論」が、「サブプライム危機」以前に発表されていたことです。彼らは、アメリカが「帝国」のような絶頂期にあると思われていたときに、むしろその崩壊を見届けていたわけです。

グローバリゼーションのトリレンマ

アタリが予言するように、アメリカ帝国が市場のグローバリゼーションによって打ち負かされるかどうかは別にして、ここであらためてグローバリゼーションに立ち戻ってみましょう。というのも、グローバリゼーションには、きわめて深刻な「パラドックス」が潜んでいて、その理解なくして未来世界を展望できないからです。

トルコ出身の経済学者で、現在はプリンストン高等研究所の教授である**ダニ・ロドリック**が、２０１１年に『**グローバリゼーション・パラドクス**』

を出版し、グローバリゼーションにどう対処すべきか、議論を展開しています。彼によると、次の三つの道（「トリレンマ」）が可能であり、私たちはこのなかから選択しなくてはならないのです。

国民民主主義とグローバル市場の間の緊張に、どう折り合いをつけるのか。われわれは三つの選択肢を持っている。国際的な取引費用を最小化する代わりに民主主義を制限して、グローバル経済が時々生み出す経済的・社会的な損害には無視を決め込むことができる。あるいは、グローバリゼーションを制限して、民主主義的な正統性の確立を願ってもいい。あるいは、国家主権を犠牲にしてグローバル民主主義に向かうこともできる。これらが、世界経済を再構築するための選択肢だ。

選択肢は、世界経済の政治的トリレンマの原理を示している。ハイパーグローバリゼーション、民主主義、そして国民的自己決定の三つを、同時に満たすことはできない。三つのうち二つしか実現できないのである。(12)

つまり、①「もし**ハイパーグローバリゼーション**と**民主主義**を望むなら、

グローバリゼーションのトリレンマ

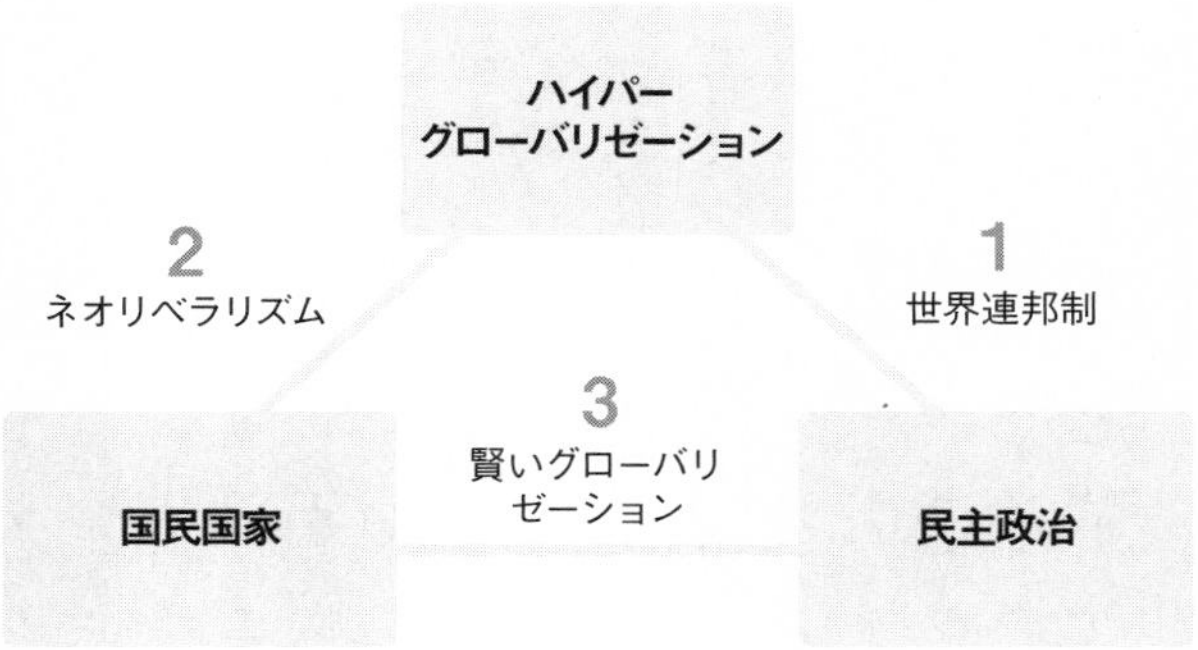

国民国家はあきらめなければならない」。あるいは、②「もし**国民国家**を維持しつつ**ハイパーグローバリゼーション**も望むなら、**民主主義**のことは忘れなければならない」。そして、③「もし**民主主義**と**国民国家**の結合を望むなら、**グローバリゼーション**の深化にはさよならだ」。ロドリックは、こうした三つの選択肢を、次のような図として示しています。

　問題は、この三つの選択肢（トリレンマ）のうち、どれが望ましい選択なのか、ということです。①はグローバルな連邦主義をめざし、国家主権を大きく削減するものです。②はネオリベラリズム（新自由主義）が推し進めている政策ですが、これが可能なのは「民主主義を寄せつけない場合だけ」とされます。これに対して、③はハイパーグローバリゼーションを犠牲にする政策ですが、民主政治の中心的な場として国民国家を残すわけです。

では、ロドリックは、どの選択肢を採用するのでしょうか。結論的に言えば、彼は③を採用し、その政策を「賢いグローバリゼーション」と呼んでいます。

私の選択を言わせてもらうと、民主主義と国家主権をハイパーグローバリゼーションよりも優先すべきだと思う。民主主義は各国の社会のあり方を守るための権利をもっており、グローバリゼーションの実現のためにこの権利を放棄しなければならないのであれば、後者を諦めるべきなのだ。

この原則は、グローバリゼーションの終わりを意味するものだと思うかもしれない。決してそうではない。（中略）われわれは最大限のグローバリゼーションではなく、賢いグローバリゼーションを必要としている。[13]

たしかに、①のグローバルな連邦主義は不可能に見えますし、国家の多様性を無視する点で望ましくないでしょう。また、②のネオリベラリズム的政策は、世界的な金融危機や格差拡大など、グローバリゼーションに暗い影を落としています。しかし、そうだとしても、③「賢いグローバリゼーション」はいかにして可能なのか、あらためて検討する必要がありそうです。

ダニ・ロドリック(1957～)

トルコ出身の経済学者。プリンストン高等研究所教授。国際経済、政治経済を研究しているが、1997年に出版した『グローバリゼーションは行きすぎか？』は、ちょうどアジアの通貨危機の時期と重なり、「90年代の最も重要な本」として注目された。2011年の『グローバリゼーション・パラドクス』では、グローバリゼーションをめぐる「トリレンマ」を指摘し、現代の困難な状況を分析している。

第4節

資本主義は乗り越えられるか

仮想化する通貨

資本主義にとってテクノロジーが決定的に重要であることは、あらためて言うまでもありません。18世紀の後半にイギリスで産業革命が起こったのは、テクノロジーにおいて新たな発明が生み出されたからです。ところが、現代のテクノロジーの変化は、18世紀の産業革命以上と言えます。とすれば、現代テクノロジーの「革命」は、資本主義に決定的な転換を促すのではないでしょうか。

かつて「情報革命」が始まった1970年代頃、アメリカのダニエル・ベル*やフランスのアラン・トゥレーヌ*といった社会学者たちが「ポスト産業社会論」を提唱し、注目を集めました。また、この社会論にもとづいて、

ダニエル・ベル
2011年死去。アメリカの社会学者。「イデオロギーの終焉」論は世界的な流行語ともなり、脱工業社会の概念を用意した。

アラン・トゥレーヌ
1925年生まれ。フランスの社会学者。「新しい社会運動」論や脱産業社会論（脱工業化社会）などで世界的に知られる。

フランスの哲学者ジャン・フランソワ・リオタールが「ポストモダン」論を提唱したのです。しかし、当時の「情報革命」では、パソコンもインターネットも一般に普及していませんでした。

ところが、今日の情報通信テクノロジーの進展は、当時とは比べものになりません。そうであれば、現代の情報通信テクノロジーは、資本主義を根底から変えていくのではないでしょうか。まさに、そうした可能性を示しているのが、「ビットコイン」と呼ばれる「**仮想通貨**」です。

2014年に、アメリカのソフトフェア開発者マーク・アンドリーセンは、「ニューヨークタイムズ」紙に、「ビットコインはなぜ重要か」という記事を発表していますが、そのなかで彼は、「ビットコイン」の出現は、パソコンやインターネットの登場にも匹敵する、と述べています。

新しく神秘的なテクノロジーが、どこからともなく現われたように見えるが、ほとんど匿名の研究者たちによる、20年間の濃密な研究の結果である。

（中略）

どのテクノロジーのことを私は語っているのか。1975年のパーソナル・

コンピュータか。1993年のインターネットか。むしろ、2014年のビットコインのことである。(14)

ここでパソコンやインターネットが言及されているのは、ビットコインの可能性を強調するためです。パソコンにしてもインターネットにしても、登場したばかりのとき、一般には今日のように普及するとは思われていませんでした。ところが、現代社会では、誰もが日常的に活用するようになっています。逆に、このテクノロジーなくしては、日々の生活さえ送れません。これと同じことが、あるいはそれ以上のことが、ビットコインにも起こる、というわけです。

たしかに、アメリカを中心として、世界的にもビットコイン（あるいはそれに類したコイン）の使用可能な範囲は広がり始めています。しかし、今までの通貨の常識を超えているため、日本ではあまり理解が進んでいないようです。とくに、ビットコインの大手両替業者マウントゴックス社の*事件があって、ビットコインに対する不信感は大きくなってしまいました。

マウント・ゴックス社の事件
東京都に拠点を構えるビットコイン交換所である同社が、何らかの理由によるコインの消失によって経営破綻に陥った事件。

その根本的な理由は、ビットコインがコンピュータ上の仮想のもので、金や銀、あるいは円やドルのように、「手に取って交換できるモノ」ではない、という点にありそうです。しかし、「手に取って交換できるモノ」であるかは、通貨にとって本質的なことでしょうか。ビットコインの意義を理解するため、ここでは「通貨」という点に絞って考えてみたいと思います。

ビットコインは、いかなる意味で「通貨」なのでしょうか。それを理解するには、フェリックス・マーティン*が出版した『21世紀の貨幣論』（2013年）が参考になるかもしれません。マーティンによると、貨幣の本質と起源については、「標準的な過ち」が長い間つづいてきました。それは、物々交換では効率が悪いので、あるモノ（実際には金や銀など）が支払い手段として広く一般に受け入れられた、というものです。

この考えは、古代ギリシアの哲学者アリストテレスにも、近代の哲学者ジョン・ロック*にも、経済学者アダム・スミス*にも共通しています。この考えによれば、おカネは「モノ」、つまり商品世界のなかから交換の手段とするために選ばれた商品だとされます。けれども、こうした貨幣論では、

フェリックス・マーティン
ロンドンの資産運用会社のエコノミストであり、ニューヨークのシンクタンク「インスティテュート・フォー・ニュー・エコノミック・シンキング」の研究員。

ジョン・ロック
17世紀（没年1704）のイギリスの哲学者。イギリス経験論の父と呼ばれ、主著に『人間悟性論』がある。

アダム・スミス
18世紀のイギリスの経済学者・神学者・哲学者。主著に『国富論』がある。

最近のビットコインは理解できないのではないでしょうか。しかしながら、それ以前に、ただの紙切れがどうしておカネとして意味をもつのか、その理由も分からないでしょう。

それに対して、マーティンが通貨の本質と考えるのは、まったく別のところにあります。彼は、通貨を「実体的な裏付けのない表象的なもの」と規定し、**「通貨の根底にある信用と精算のメカニズムこそが、マネーの本質である」**と述べて、標準的な貨幣論との違いを次のように強調しています。

このもう一つの貨幣論の中心にあるもの、原始概念といってもいいものは、信用だ。マネーは、交換の手段ではなく、三つの基本要素でできた社会的技術である。基本要素の一つ目は抽象的な価値単位を提供することである。二つ目は、会計のシステムだ。取引から発生する個人や組織の債権あるいは債務の残高を記録する仕組みのことである。そして三つ目は、譲渡性である。原債権者は債務者の債務を第三者に譲り渡して、別の債務の決済に当てることができる。(15)

こうした三つの基本要素をもつならば、通貨が金や銀といった実体的な素材をもつことは必要ないわけです。そして、ビットコインがこの要素を満たしていることは、言うまでもありません。とすれば、ビットコインには、通貨としての可能性が大きく広がっているのではないでしょうか。

フィンテック革命と金融資本主義の未来

21世紀になって、情報通信テクノロジーが経済社会を大きく変えようとしているのは、ビットコインだけではありません。むしろ、それも含めて、デジタル・テクノロジーが金融のあり方そのものに地殻変動を引き起こし始めています。最近では「**フィンテック**（FinTech：金融Financeテクノロジー Technology）」と呼ばれ、一般的にも注目されるようになりました。しかし、これは従来の金融工学と、どう違うのでしょうか。

金融工学は、工学的な（数量的）手法を用いて、資金をいかに効率的に運用するかを目的とします。そのために情報通信テクノロジー（コンピュータ）を利用しますが、活動の主体はあくまでも金融機関です。ところが、今日話題になっているフィンテックでは、情報通信テクノロジーを専門とする企業が、金融の分野に参入し始めています。ひとことで言えば、デジタル・テクノロジーが金融そのものを変えようとしているのです。

典型的な人物として、２００６年にTwitterを起業したジャック・ドーシーの活動を見ると、フィンテックの方向性が分かると思います。Twitterは、今や世界中の人々が使う情報サービスになっていますが、それを立ち上げた後、ドーシーは「スクエア（Square）」（現・「ブロック〔Block〕」）という決済サービスの会社を起業しました。

これは、スマートフォンのイヤホンジャックに「スクエアリーダー」と呼ばれる小型端末を差し込み、それによってクレジットカードを読み取らせるのです。こうして、スマホがクレジットカードの決済端末へと変わるのです。今まで、スマホは電話したり、メールしたり、ネットにつないで情報を検索したり、音楽や動画やゲームを楽しんだりするために使われてきました。ところが、小型端末を差し込むだけで、クレジットの決済機能を果たすようになるのです。こうしたスマホを使った決済サービスは、その他にも増え続けています。

あるいは、決済だけでなく、融資のためにも情報通信テクノロジーが大きな力をもつようになっています。今まで、銀行からお金を借りるためには、直接銀行に出向き、さまざまな書類を提出しなくてはなりませんでした。そうした書類を審査するために、かなりの日数を必要としていました。これは、どちらかといえばアナログな技術であり、現代のデジタル社会では、時代遅れとなったように見えます。

それに対して、近年爆発的に増加している「ビッグデータ」と、発展著しい人工知能を駆使して、オンライン上で融資の申し込みをして、短時間（わずか数分！）のうちに可否を決定する企業も出てきました。その企業は、インターネットによって申込者の情報を瞬時のうちに集め、人工知能によって可否を判断するわけです。

こうした情報通信テクノロジーは、従来の金融組織をどこまで変えていくのでしょうか。インターネットや電子メールの普及の状況を考えてみれば、思いのほか進化は早いかもしれません。経済社会のあり方は、その時代のテクノロジーに大きく左右されることは間違いありません。とすれば、おカネのあり方（ビットコインなど）にしても、金融組織のあり方（銀行、クレジット、証券）にしても、デジタル・テクノロジーに適したものに変わっていくのは、不可避ではないでしょうか。

ITによって変容する資本主義

現代のように情報通信テクノロジーが発展していけば、資本主義はどうなるのでしょうか。今まで通りの形態を維持していくのでしょうか。それとも、ポスト資本主義へと変わるのでしょうか。そうだとしたら、どのような社会が到来するのでしょうか。

こうした問題を提起しているのが、アメリカの文明批評家**ジェレミー・リフキン**の『限界費用ゼロ社会』（２０１４年）です。リフキンは、現在進行中の情報通信テクノロジー革命（ＩｏＴ、３Ｄプリンター、クラウドファンディングなど）が、どのように社会と経済を変えていくかを描き出しています。たとえば、その書の冒頭で、彼は次のように書いています。

資本主義はいま、跡継ぎを生み出しつつある。それは、協働型コモンズで展開される、共有型経済だ。**共有型経済は19世紀初期に資本主義と社会主義が出現して以来、初めてこの世に登場する新しい経済体制**であり、したがって、これは瞠目すべき歴史上の出来事と言える。協働型コモンズは、所得格差を大幅に縮める可能性を提供し、グローバル経済を民主化し、より生態系に優しい形で持続可能な社会を生み出し、すでに私たちの経済生活のあり方を変え始めている。（中略）

（中略）資本主義体制は、すでに頂点をきわめ、徐々に衰退し始めている。新たな経済体制への転換の指標はまだ漠然としていて、事例が散見される程度だが、協働型コモンズにおける共有型経済は上げ潮に乗っており、2050年までには世界の大半で、経済生活の最大の担い手となる見込みだ。[16]

「資本主義から**共有型経済**（シェアリング・エコノミー）へ」というリフキンの発想を支えているのは、現代のデジタル・テクノロジーによって経済学の「限界費用」がゼロに近づく、という状況認識です。

資本主義経済の最終段階において、熾烈な競争によって無駄を極限まで削ぎ落とすテクノロジーの導入が強いられ、生産性を最適状態にまで押し上げ、「限界費用」すなわち財を1単位追加で生産したりサービスを1ユニット増やしたりするのにかかる費用がほぼゼロに近づくことを意味する。(17)

たとえば、書籍を考えてみますと、出版社、印刷業者、卸売業者、運送・倉庫業者、小売業者など、さまざまな費用がかかります。ところが、作家がインターネットにアップして閲覧可能にすると、非常に廉価で（あるいは無料で）入手できます。リフキンによると、電子書籍は「限界費用」がゼロで製作・流通が可能になるのです。こうした例は、現代社会では枚挙にいとまがありません。

この傾向は、ある意味では、資本主義の原動力にもなっていました。競争によってテクノロジーを飛躍的に発展させ、生産性を上げて価格を下げるのは、資本主義のロジックそのものなのです。

ところが、そのロジックが極限まで進められると、「限界費用」がゼロになり、資本主義の命脈とも言える利益が枯渇するわけです。したがって、資本主義は成功することによって失敗するのです。

ここでは、リフキンの具体的分析に立ち入ることはしませんが、現代の情報通信テクノロジーの発展によって、資本主義が新たな経済制度へと変わるかもしれない、という指摘は重要だと思います。

18世紀の後半に、重要なテクノロジー的発明が行なわれ、産業資本主義が成立しました。20世紀の後半に、情報通信テクノロノジーの革命が引き起こされたとすれば、資本主義が21世紀に大きく転換するのは間違いないと思われます。

しかしながら、「資本主義が終焉しシェアリング・エコノミーに代わる」といったリフキンの予言には、賛成できません。というのも、デジタル・テクノロジーの革新によって、「限界費用」が低下していくとしても、利益がまったく生み出されなくなるわけではないからです。現在でも、LINEをはじめ、表面的には無料のサービスは少なくありませんが、ビジネスとして成立するには、全体として利益を生み出すシステムができあがっています。

この点は、リフキンも持ち出しているオンラインの大学講座MOOCs

を見れば、了解できます。講座を視聴するだけであれば無料ですが、教師とのコミュニケーションや、講座の修了証などには課金されます。そのため、講座の実際の修了者はほんの数%に過ぎず、これが今後も存続できるかどうか危惧されています。このシステムを維持するには、すべて無料というわけにはいきませんし、別の形で利益を生み出すことが必要でしょう。

たしかに、デジタル・テクノロジーによって、教育のスタイルが変わり始めていることは疑えません。たとえば、以前には日本の予備校では対面授業が主流となっていましたが、現在では有名講師によるネット配信、ビデオ講座などが主流になっています。

こうした波は、予備校だけでなく、大学など他の教育機関にも及んでいます。しかしながら、これによって教育がまったく無料になるわけではなく、そのテクノロジーを含んだ上で再編されるだけではないでしょうか。

このように見ると、リフキンが言う「共有型経済（シェアリング・エコノミー）」は、資本主義にとって代わるのではなく、むしろ**資本主義の一部として組み込まれる**、といった方が現実的であると思います。

資本主義は生きのびることができるか

それでも、リフキンの議論が、ある重要な問題を提起していることは間違いありません。というのは、オーストリア出身の経済学者ヨーゼフ・シュムペーター*が、20世紀の中頃に提起した根本的な問いを、あらためて取り上げたからです。

もともと、リフキンの本は、議論の進め方がシュムペーターの資本主義論と似ていますから、根本的な発想においてシュムペーターと共通なのは当然かもしれません。では、シュムペーターが提起した根本的な問いとは何だったのでしょうか。

『資本主義・社会主義・民主主義』（1942年）のなかで、シュムペーターは「資本主義は生きのびることができるか?」という問いを、第2部のタイトルにしました。この問いがきわめて重要であったのは、彼の死の前夜まで書かれていた論考でも、確認できます。この問題を、シュムペーターは繰り返し問い直しているからです。

シュムペーターはその問いに、どう答えたのでしょうか。第2部の冒頭

＊ヨーゼフ・シュムペーター　オーストリア・ハンガリー帝国出身の経済学者。企業者の行う不断のイノベーション（革新）が経済を変動させるという理論を構築した。

で、「資本主義は生きのびることができるか。否、できるとは思わない」と端的に答えて、シュムペーターは次のようなテーゼを提出しています。

私の確立せんとつとめる論旨はこうである。すなわち、資本主義体制の現実的かつ展望的な成果は、資本主義が経済上の失敗の圧力に耐えかねて崩壊するとの考え方を否定するほどのものであり、むしろ資本主義の非常な成功こそがそれを擁護している社会制度をくつがえし、かつ、「不可避的に」その存続を不可能ならしめ、その後継者として社会主義を強く志向するような事態をつくり出すということである。(18)

このテーゼの前半部分は「資本主義は失敗する、崩壊する」といったマルクスの予言に反対して、むしろ資本主義の成功を主張しています。それにもかかわらず、シュムペーターは、「資本主義は生きのびることができない」と主張するのです。

マルクスの予言が「資本主義は失敗することによって生きのびることができない」だったのに対して、シュムペーターは「**資本主義は成功するこ**

とによって生きのびることができない」と予言したわけです。

シュムペーターによれば、資本主義のエンジンともいうべきものは、「企業家」が不断に行なう「**革新（イノベーション）**」です。これを彼が「創造的破壊」と呼んだことは、今ではよく知られています。彼はその重要性を、次のように述べています。

資本主義のエンジンを起動せしめ、その運動を継続せしめる基本的衝動は、資本主義的企業の創造にかかる新消費財、新生産方法ないし新輸送方法、新市場、新産業組織形態からもたらされるものである。（中略）この「創造的破壊」の過程こそが資本主義についての本質的事実である。それはまさに資本主義を形づくるものであり、すべての資本主義的企業がこの中に生きねばならぬものである。[19]

ところが、資本主義のエンジンであるイノベーションも、やがて日常業務化され、次第に自動化されていく、とシュムペーターは考えています。こうして、イノベーションを推進していた企業も、成功することによって官僚化していく、というわけです。シュムペーターは結論として、次のように述べています。

資本主義的企業は、ほかならぬ自らの業績によって進歩を自動化せしめる傾きをもつから、それは自分自身を余計なものたらしめる――自らの成功の圧迫に耐えかねて粉砕される――傾向をもつとわれわれは結論する。(20)

シュムペーターの「イノベーション」概念は、最近でも注目されていますが、この概念がどこへ導くのかについては、あまり強調されていません。シュムペーターによれば、資本主義はイノベーションによって成功するにもかかわらず、存続できず崩壊するに至るのです。この奇妙な逆説について、どう考えたらいいのでしょうか。

20世紀の歴史を見れば、資本主義は崩壊することなく、むしろその後継者と見なされた社会主義の方が崩壊し、資本主義は存続・拡大しています。とすれば、シュムペーターの予言は外れたというべきでしょうか。

しかし、どのようなタイム・スパンをとるかで、その答えも変わってくるかもしれません。というのは、イタリア出身でジョンズ・ホプキンス大学の社会学教授だったジョヴァンニ・アリギ*が『長い20世紀』（1994年）を出版していますが、アリギはこの書の最終章でシュムペーターの問いをあらためて取り上げ、次のように述べているからです。

本書（『長い20世紀』）の基本命題は、歴史はシュムペーターが一度ならず二度も正しいことを証明したということにある。成功がもう一回、歴史的資本主義の手の届くところにあるというシュムペーターの議論は、もちろん正しいことが証明された。しかし、これから半世紀ほどの歴史が、資本主義の成功が毎回その存続をますます難しくする状況を作り出すというシュムペーターの議論の正しさを証明することも、大いにありうることである。(21)

このように見れば、シュムペーターの予言に結論を出してしまうのは、今のところ時期尚早と言うべきでしょう。資本主義は今後どうなるのか、最重要な問題であり続けています。

ジョヴァンニ・アリギ
2009年死去。イタリアの歴史社会学者。専門は政治経済学、世界システム論。

ジェレミー・リフキン（1945〜）

アメリカの経済・社会理論家、社会活動家。経済動向財団代表。科学技術に対する幅広い視野と知識にもとづいて、経済社会の変化を鋭く捉え、すでに20冊以上の著書を出版している。ドイツのメルケル首相のブレーンとして、「インダストリー4・0」を理論的に提唱している。研究者というよりも、実務的な活動家として、世界各国首脳のアドバイザーを務めている。

本章をより理解するための ブックガイド

21世紀の不平等

アンソニー・B・アトキンソン著(2015年/山形浩生、森本正史訳/東洋経済新報社)

『21世紀の資本』の著者ピケティの師に当たるアトキンソンが、「格差（不平等）」の問題を本格的に論及した著作である。ピケティに比べ、アトキンソンの議論は多面的で重層的である。現在、不平等の問題を経済学的に考えるには、ピケティとアトキンソンの本を読まなくてはならない。

Political Liberalism

John Rawls(Columbia University Press/1993)

1973年に『正義論』を出版して、世界的にリベラリズムの流行を作り出したロールズが、20年後に自分の理論の修正を図った書物である。彼はなぜ初期の正義論を変更する必要があったのか。その変更はどんな意味をもち、また妥当だったのか。いろいろな観点から、読み進めることができるが、残念なことにまだ未邦訳である。今のところ、『公正としての正義　再説』を読むことができる。

Post Capitalism: A Guide to Our Future

Paul Mason(Allen Lane/2015)

イギリスのジャーナリストであるメイソンが書いたポスト資本主義論である。マルクス以来、資本主義社会への批判は多いが、それに代わるポスト資本主義社会をどう構想するかは、文献として多くない。昔の社会主義論が妥当しないとすれば、将来どのような社会を形成していくのか。この書は、そのヒントになるかもしれない。

資本主義の未来を考えるには、何よりもまずカール・マルクス『資本論 第1巻』（筑摩書房、原著1867年）を読み、それから最近のトマ・ピケティ『21世紀の資本』（みすず書房、原著2013年）と読み進めたい。また、「歴史の終わり」という考えについては、その提唱者であるフランシス・フクヤマの『歴史の終わり』（三笠書房、原著1992年）とその批判であるジャック・デリダ『マルクスの亡霊たち』（藤原書店、原著1993年）を読み比べるといい。また、1970年代から始まったリベラリズム論争は、現代どのような状況にあるのだろうか。マイケル・サンデルの「白熱教室」はその反響であるが、現時点で何が成果として残っているのか確かめてみよう。グローバリゼーションの問題を考えるには、サスキア・サッセン『グローバリゼーションの時代』（平凡社、原著1996年）が基本的な文献。またグローバリゼーションには、その対抗としてナショナリズムが伴っているが、それについてはベネディクト・アンダーソン『想像の共同体』（リブロポート、原著1983年）を読んでおきたい。資本主義批判は多いが、その後の社会をどうするかという議論になると、マルクスも含めて、具体的なイメージが少ない。

第5章

人類が宗教を捨てることはありえないのか

第1節

近代は「脱宗教化」の過程だった

およそ100年前、ドイツの高名な社会学者マックス・ウェーバー*は、西洋近代を合理化の過程と理解し、「世界の脱魔術化」という表現で規定しました。じっさい近代になると、西洋では宗教的権威から独立した世俗的な国家が形成され、資本主義経済が社会的に浸透したのです。また、啓蒙精神にもとづいて、宗教的な偏見が取り除かれ、近代科学が発展したことは、今や常識となっています。そのため、この傾向が続いていけば、やがて宗教の力は弱体化する、と考えられました。

こうした理解を受けて、20世紀には、西洋近代を「**世俗化の時代**」と見なすことが、一般的になりました。たとえば、アメリカの社会学者ピーター・L・バーガー*は、「世俗化」という概念を社会と文化の諸領域が宗教の制度や象徴の支配から離脱するプロセスと定義し、現代社会をこうし

マックス・ウェーバー
ドイツの社会学者・経済学者。主な著書に『プロテスタンティズムの倫理と資本主義の精神』がある。

ピーター・L・バーガー
2017年死去。アメリカの社会学者・神学者。トーマス・ルックマンとの共著『現実の社会的構成』(1966年)でも知られる。

た世俗化の時代と考えたのです。たしかに、ヨーロッパでは、キリスト教の果たす役割が低下しているのは明らかです。

ところが、21世紀を迎える頃から、こうした世俗化の状況が世界的に転換し始めました。南米やアフリカでは、宗教を信仰する人々が増加しつつあります。またヨーロッパでも、キリスト教信者の割合が低下したとはいえ、逆にイスラム教の信仰者は増えているのです。さらに、アメリカでは、主流派プロテスタントは減少していますが、原理主義的な福音派はむしろ増加傾向にあります。こうした状況を踏まえたうえで、ドイツの社会学者ウルリッヒ・ベック*は次のように明言しています。

21世紀初頭に見られる宗教の回帰現象は、1970年代にいたるまで20年以上にわたってつづいてきた社会通念〈世俗化理論〉を破るものだった。

その変化を象徴する出来事が、2001年9月11日に発生しました。近代世界（グローバル金融資本）の中心地ニューヨークで、モダン建築を究極まで突きつめた世界貿易センタービルに、イスラム教原理主義のテロリ

*ウルリッヒ・ベック　308ページ参照。

ストたちが攻撃を加えたのです。その直後に、当時のアメリカ大統領だったジョージ・W・ブッシュは、不用意にも「十字軍」という言葉を口にして、キリスト教対イスラム教という対立図式を打ち出しました。その後、こうしたイスラム教信者による、大規模なテロリズムが世界中で頻発しています。

とすれば、現代社会はむしろ、「**ポスト世俗化の時代**」と呼ぶ方が適切ではないでしょうか。宗教の役割が次第に縮小していくという従来の世俗化理論は、ヨーロッパのキリスト教については妥当だとしても、世界全体で考えると、宗教への回帰現象が顕著になっているのです。ウェーバーが近代を規定するとき「世界の脱魔術化」を唱えたとすれば、現代ではむしろ、「**世界の再魔術化**」が起こっているように見えます。

世界の「脱魔術化」なのか、それとも「再魔術化」なのか——現代社会はまさに、この分岐点に立っているのではないでしょうか。しかし、現代社会の難しさは、この両者を明確に二分割できず、相互に絡み合っていることにあります。この章では、それらが孕む問題を考え、未来への展望を探ってみたいと思います。

理性的に宗教を考える

1985年、ドイツの哲学者ユルゲン・ハーバマス*は、当時世界的に流行していたポストモダン思想に批判を加えるために、近代（モダン）の意義を再検討し、『近代の哲学的ディスクルス』を出版しました。その書の冒頭で、マックス・ウェーバーの「合理化」概念を取り上げ、次のように述べています。

マックス・ウェーバーにとって、彼が西洋的合理主義と名づけたものと近代とのあいだにある内在的関係、すなわち、偶然とはいえない関係は、まだ自明のことであった。彼が〈合理的〉という概念のもとで記述したのは、ヨーロッパにおいて宗教的世界像が崩壊し、そのなかから世俗文化が発生してくることになった脱魔術化の過程でもある。近代の経験諸科学、自律的になった芸術、また原理を基盤とした道徳および法の諸理論とともに、これらの文化的価値領域が形成されてきた(1)。

＊ユルゲン・ハーバマス　176ページ参照。

ハーバマスによれば、こうした西洋近代の合理化の過程は、いまだ完成しておらず、「コミュニケーション的合理性（理性）」の観点から継続しなくてはならない、というわけです。この主張のために、一般にハーバマスは「近代」派の哲学者と見なされ、その哲学には宗教的な要素が介入する余地はない、と思われました。ところが、21世紀になるころ、ハーバマス哲学は大きく転回することになります。今まで彼は、近代的な世俗化論者だと見なされていたのですが、驚くことに、宗教との対話を推し進めていくのです。どうしてハーバマスは、こうした思想的転回を行なったのでしょうか。

おそらく、その原因の一つは、20世紀末に生命科学や脳科学などが、「自然主義」を強力に打ち出し、人間の人格や精神の理解を歪めてしまうのではないか、と危惧したことにあるでしょう。近代科学の立場からすれば、人間もまた自然界の一員であり、その人格や精神を自然主義的に理解することは不思議なことではありません。ところが、そうした「自然主義」的理解をハーバマスは拒否するわけです。そして、まさにこの点において、彼がキリスト教と遭遇する根拠があるのです。こうした変化を、「ポスト世俗化論的転回」と呼ぶことにしましょう。

２００４年にハーバマスは、キリスト教神学者ヨーゼフ・ラッツィンガー[*]と対話を行ない、翌年に共著で本を出版しました。ラッツィンガーは、２００５年から２０１３年まで**ローマ教皇ベネディクト16世**となりましたので、この対話はまさしく歴史的なもの（キリスト教と近代との出会い）だと言えます。その書のなかでハーバマスは、K・エーダー[*]の「ポスト世俗化の社会」という表現を使いながら、次のように述べています。

> このような表現は、ますます世俗化する社会環境のなかで宗教が自己主張し続け、今後とも当分のあいだ社会は宗教的共同体の存続を覚悟しなければならない、という事実の指摘を意味するだけではない。「ポスト世俗化」という表現は、宗教的共同体が、望ましい動機や態度の再生産を行なってくれているという機能に公的な感謝を表しているだけではないのだ。ポスト世俗化の社会では、信仰をもたぬ市民たちが信仰をもっている市民たちと政治的にふれあうその交流の仕方にとって重要な規範的な考えが公共の意識にも反映

ヨーゼフ・ラッツィンガー
ドイツ出身。第２６５代ローマ教皇（在位期間は２００５年４月から２０１３年２月）。

K・エーダー
１９４６年生まれ。ドイツ・ベルリンのフンボルト大学の社会学教授。ヨーロッパの世俗化をめぐる議論を展開している。

している。（中略）宗教の側も世俗の側も、両者が社会の世俗化を相互補完的な学習過程として理解するなら、公共の場で論争されているさまざまなテーマに対する相手の側からの寄与を、認識上の理由からも相互に真剣に受け止めることが可能となる。(2)

こうして、「世俗化の弁証法」の結果として、ハーバマスは現代を「ポスト世俗化社会」と捉え、理性と宗教との和解を図ろうとするのです。しかし、この立場は、以前のハーバマス哲学からすれば、なんとも保守的な解決法のように見えないでしょうか。もしかしたら、現代の時代状況がハーバマスに思想的な転向を迫ったのかもしれません。ハーバマスのこの転回をどう評価するにしても、「世俗化——ポスト世俗化」問題が、現代において窮迫したテーマであることは間違いありません。

多文化主義から宗教的転回へ

ハーバマスが現代社会を理解するとき、彼は「ポスト世俗化」という概念を提唱して、近代的な世俗主義の行き過ぎに警告を発しました。しかし、そもそも、世俗化というのは、どう理解したらいいのでしょうか。世俗化への理解の違いによって、「ポスト世俗化」への態度も変わってくるでしょう。その問題を考えるために、カナダの哲学者**チャールズ・テイラー**が、２００７年に出版した大著『世俗の時代』に注目したいと思います。

テイラーといえば、１９７０年代から始まったリベラリズム論争のときには、コミュニタリアニズム（共同体主義）の立場から、リベラリズム・リバタリアニズムを共に批判しました。その後、90年代になると**マルチカルチュラリズム（多文化主義）***の代表的論者として、活発な議論を展開してきたのです。

ところが、21世紀になって、テイラーは「宗教的転回」をとげたと言われます。もともと、カトリックの信者だったので、回心したわけではありませんが、今までほとんど論じることのなかった宗教の問題を、正面から扱うようになったのです。ハーバマスと同じように、おそらく時代の状況が、テイラーに「宗教的転回」を促したのではないでしょうか。

テイラーによると、「**世俗性**」という概念は、基本的に三つの意味があ

マルチカルチュラリズム（多文化主義）
異なる文化をもつ集団が存在する社会において、それぞれの集団が「対等な立場で」扱われるべきだとする考え方。

ります。一つは、国家と教会との分離、すなわち**政治と宗教との分離**ですが、これによって宗教は「私事化」されます。もう一つは、**信仰の衰退**、すなわち私的領域としての宗教が衰退していくことです。それに対して、テイラーが着目する「世俗性」は、第三の意味ですが、これは**信仰の条件の変化**と考えられています。この第三の意味の「世俗性」と関連づけながら、テイラーは『世俗の時代』の意図を、次のように語っています。

わたしが試みるのは、われわれの社会を、この第三の意味において世俗的な社会として検討することである。換言するならば、ここでわたしがその特徴を明確にし、跡づけたいのは、神の存在を信じないことが実質的に不可能であった社会から、信仰をもつことが断固たる信者にとってさえも単なる一つの選択肢にすぎなくなった社会への変化である。（中略）神の存在を信じることは、もはや自明のことではない。それは選択肢の一つにすぎないのである。そしておそらくこのことから言えるのは、少なくとも環境次第では信仰をもち続けることが困難になる場合もありうる、ということである。[3]

こうした「世俗性」の変化を考えるために、テイラーは西洋近代の500年を対象として分析します。具体的に言えば、西暦1500年頃には、神を信じないことが不可能だったのに対して、2000年においては、神を信じないことが容易であるどころか、むしろ不可避でさえあるのはなぜかというわけです。

テイラーがこの問いを提起するとき、念頭にあったのは、表現主義とか表現革命と呼ばれる、現代の状況です。テイラーによると、これは「自分自身の本来的な生き方、表現の仕方」を原理とするのですが、ファッションに代表される消費者中心主義とも結びついています。この立場からすると、信仰は自分本来の生き方をするための、選択肢の一つになるわけです。

注意したいのは、テイラーが現代の「世俗性」を説明するとき、信仰を否定してはいないことです。たしかに、表現主義の立場にたてば、**制度的宗教***は衰退しますが、個々人の内面と結びついた宗教は、生き方の選択肢の一つとして新たに模索されるのです。ここに、現代社会で「**新宗教**」が積極的に追求される理由も潜んでいます。たとえば、テイラーは『今日の宗教の諸相』（2002年）において、具体的な仕方で次のように述べて

制度的宗教
制度化・体系化された宗教。キリスト教や仏教など。

います。

この方向に沿ったものとしては、非キリスト教的な宗教、とりわけ東洋に起源をもつ宗教の興隆があり、ニューエイジ型の諸々の活動様態や、人間主義的境界とスピリチュアルなものの境界を橋渡しする諸見解、あるいはスピリチュアリティと治療とを結びつける諸実践などの爆発的増大がある。これに加えて、ますます多くの人々が、以前なら採用できない立場と見なされたものを取り入れている。たとえば、人びとは自分をカトリックであると自認しながら、その中核的教義の多くを拒否したりする。あるいは、キリスト教と仏教を組み合わせたり、場合によっては信仰の有無について確信をもたずに祈ったりする。(4)

このように見ると、「世俗の時代」といっても、テイラーが単純に宗教の衰退説を唱えていないことは、ご理解いただけると思います。

ところで、すでにお気づきだと思いますが、テイラーの「世俗化」の議論は、ハーバマスと同じように、基本的には西洋地域を念頭に置いて展開されています。しかし、今日の「世俗化」問題を考えるには、世界全体を視野に入れるべきではないでしょうか。最近のイスラム教原理主義の突出した動きを目にすると、西洋に限った議論では、不十分だと思います。

世俗化論から脱世俗化論へ

グローバルな観点から世俗化と「ポスト世俗化」の問題を考えようとすれば、ピーター・L・バーガーの議論を検討しなくてはならないでしょう。というのも現代世界を理解するとき、バーガー自身が世俗化論から脱世俗化論へと立場を変えたからです。どうしてバーガーは、理解を変えたのでしょうか。

まず１９６７年に発表した『聖なる天蓋——神聖世界の社会学』のなかで、すでに見たように、世俗化を「社会と文化の諸領域が宗教の制度や象徴の支配から離脱するプロセスである」と規定し、ウェーバーと同じように西洋近代を世俗化の過程であると考えました。バーガーは、その世俗化論を、後年になって次のように回顧しています。

「世俗化論」という言葉は、1950年代と1960年代からの著作に関わっているが、その概念の鍵となる考えは、実に啓蒙まで跡づけることができる。その考えは、単純である。つまり、近代化は必然的に、社会と個人の心とにおいて、宗教の衰退へと導くのである。[5]

ところが、20世紀の末になって、バーガーはこうした「世俗化論」が誤りである、と考えるようになりました。彼は1999年に、論集『世界の脱世俗化――復活する宗教と世界政治』を編集したのですが、その書の巻頭論文において、以前の「世俗化論」が誤りであることを、明確に宣言しています。アメリカやヨーロッパだけでなく、世界全体のグローバルな視点から、バーガーは宗教的原理主義のような脱世俗化の運動が沸き起こっている、と見なすのです。

私の論点は、**われわれが世俗化された世界に生活しているという仮定は誤りだ**、というものである。今日の世界は、例外はあるとしても、昔と同じほど、荒れ狂ったように宗教的である。これが意味しているのは、歴史家や社会科学者によって、「世俗化論」と大まかにラベル付けされた研究文献全体が、本質的に誤りであるということである。私の初期の著作で、私はこうした研究に与していたのである。(6)

バーガーは、世俗化を考えるとき、社会のレベルと個人的な意識のレベルの二つの次元を区別するのですが、この二つは単純な関係にはなっていません。たとえば、宗教的な組織が衰退していても、個人の信仰は強い場合もありますし、逆に個々人が宗教的な信仰をもっていなくても、宗教的な組織が社会的・政治的役割を果たす場合もあります。

いずれにしろ、「宗教と近代とのあいだの関係は複雑である」と言わなくてはなりません。こうした洞察は、現代世界を見渡すとき、きわめて示唆的であるように思えます。

たとえば、アメリカでは、いわゆる主流派のプロテスタンティズム*は衰退していますが、それに反して福音主義*は隆盛化しています。また、ローマ・カトリックは、非西洋地域で熱狂的な信者を集めています。

プロテスタンティズム
16世紀の西方キリスト教における宗教改革を支えた宗教理念。信仰主義、聖書主義。

福音主義
聖書に書かれていることをとくに重視するプロテスタント。

ソヴィエト連邦崩壊後は、ロシア正教*が復活し、民衆の間に浸透しています。さらに、ユダヤ教、ヒンズー教、仏教なども消滅するどころか、強力な運動を展開しているのです。そして何よりも、もっとも目をひくのは、イスラム教の原理主義運動でしょう。

たしかに、ヨーロッパに限定して言えば、世俗化が進み、キリスト教の果たす役割は縮小されたように見えます。ところが、それ以外の地域では、世俗化されるどころか、むしろ脱世俗化の荒々しい動きが沸き起こっているのです。とすれば、現代世界がどこへ向かって進んでいるのかは、単純には規定できません。

ロシア正教
正教会に属するキリスト教の教会であり、数多くある独立正教会の一つ。

チャールズ・テイラー（1931〜）
カナダの哲学者。マギル大学名誉教授。1975年に大著『ヘーゲル』を出版し、ヘーゲル研究者として認められると同時に、ヨーロッパの現象学にも通じている。広義のリベラリズムに対して、人間の共同存在のあり方を対置して、マッキンタイアーとともに「コミュニタリアニズム（共同体主義）」の代表者と見なされた。その後、カナダの状況を背景に、「多文化主義」を唱え、「承認」概念の意義を強調した。21世紀には、「宗教的転回」を行ない、大著『世俗の時代』を出版している。

第2節

多様な宗教の共存は不可能なのか

文明間の衝突は避けることができるか

21世紀になって、宗教の問題を考えるには、グローバリゼーションの流れと切り離すことができません。というのも、グローバリゼーションは、一方で諸地域の緊密な結びつきを形成するとともに、他方で宗教的な対立を掻き立てているからです。今日、宗教運動は衰退するどころか、むしろホットな現象になっています。

この事実を直視したうえで、それがどこへ向かうのか、考える必要があります。そのために、ここではアメリカの政治学者サミュエル・ハンチントン*が1996年に出版した『**文明の衝突**』を取り上げたいと思います。

この著作は、彼が1993年に『フォーリン・アフェアーズ』誌に掲載

サミュエル・ハンチントン
2008年死去。アメリカの国際政治学者。研究領域は政軍関係論、比較政治学、国際政治学。

した論文「文明の衝突?」を、疑問符抜きで新たに詳述したものです。そのなかでハンチントンは、冷戦終結後の世界を理解するため、宗教を中心とした文明に注目したのです。そのさい、彼はフランシス・フクヤマのような一極的な世界秩序(自由民主主義の勝利)といったモデルをしりぞけ、七つあるいは八つを数える世界の主要文明へと分断されると考えました。

1980年代に共産主義世界が崩壊し、冷戦という国際関係は過去のものとなった。冷戦後の世界では、さまざまな民族のあいだの最も重要なちがいは、イデオロギーや政治、経済ではなくなった。文化がちがうのだ。(中略)人びとは祖先や宗教、言語、歴史、価値観、習慣、制度などに関連して自分たちを定義づける。たとえば、部族や人種グループ、宗教的な共同体、国家、そして最も広いレベルでは文明というように、文化的なグループと一体化するのだ。人びとは自分の利益を増すためだけでなく、みずからのアイデンティティを決定するために政治を利用する。人びとは自分が誰と異なっているかを知ってはじめて、またしばしば自分が誰と敵対しているかを知ってはじめて、自分が何者であるかを知るのである。(7)

　こうしたハンチントンの「文明の衝突」論、さらには文明観そのものには、数多くの批判が提出されました。たとえば、彼の「文明」概念が本質主義的で硬直しており、他の「文明」との対立ばかりを強調している、と言われました。こうした批判を展開したのが、フランスの哲学者マルク・クレポン*の『文明の衝突という欺瞞』（２００２年）です。その書において、クレポンはハンチントンの「文明」概念を検討するとともに、文明の対立図式にも批判を加えました。彼は、ハンチントンの議論が「テロリストと同じ」と断じたうえで、次のように述べています。

> 「キリスト教文明」や「イスラム文明」と呼ばれているものは、たがいに閉じた二つの全体として、交錯も交流もなく対峙しているわけではない（おそらくずっと以前から、もはやそうではない）。この二つの文明の遭遇にはさまざまな様態があり、ときとしてそれは苦痛に満ちた記憶の痕跡を残しただろうが、いずれにせよ実際に相互の浸透があったのである。ハンチントンが無視し理解を拒んでいるのは、このように**イスラム世界の「何らかのもの」が**

マルク・クレポン　フランス国立科学研究センター（ＣＮＲＳ）の研究員。哲学とナショナリズムの関連にかんする著書がある。

西洋文明の一部となっていることである――西洋の「何らかのもの」がイスラム文明の一部になっているのとまったく同様に。そしてまさにこうして一方から他方へと「何らかのものが通過する」(通過した)ことが、テロリストの怒りを引き起こしている。そして文明の混交化が歴史の真実である以上、テロリストはそれをテロという手段で封じるほかないのである。(8)

ところが、2001年の「9・11同時多発テロ」の発生以後、状況が一変したように見えます。『文明の衝突』の第2部、第4部の要約を読むだけで、現代世界に対するハンチントンの鋭い直観が確認できると思います。

第2部:文明間の勢力の均衡は変化している。相対的な影響力という意味では、西欧は衰えつつある。アジア文明は経済的、軍事的、政治的な力を拡大しつつある。イスラム圏で人口が爆発的に増えた結果、イスラム諸国とその近隣諸国は不安定になっている。そして、非西欧文明は全般的に自分たちの文化の価値を再確認しつつある。(中略)

> 第4部：西欧は普遍主義的な主張のため、しだいに他の文明と衝突するようになり、とくにイスラム諸国や中国との衝突はきわめて深刻である。地域レベルでは、文明の断層線における紛争は、主としてイスラム系と非イスラム系のあいだで「類似する国々の結集」をもたらし、それがより広い範囲でエスカレートする恐れもあるし、それゆえにこうした戦争を食いとめようとして、中核をなす政府が苦心することになるだろう。[9]

ハンチントンが「文明の衝突」論を展開するとき、**決定的な要因になっているのは宗教**です。たとえば、次のような記述を見れば、宗教の影響力がいかに大きいのか、分かると思います。「イスラム教徒と東方正教会や西欧のキリスト教徒との関係はしばしば激しいものだった。それぞれが相手にとって対立するものとなってきた。20世紀の自由民主主義とマルクス・レーニン主義の闘争は、イスラム世界とキリスト教世界とのたえざる激しい抗争とくらべれば、一時的で表面的な歴史的現象だった」。

こうした「文明の衝突」論を読むと、宗教が異なれば、もはや紛争か対立、さらには戦争しか残されていないように見えます。はたして、それ以外の理解は不可能なのでしょうか。そこで、次に「文明の衝突」に対してどう対応するか、考えてみたいと思います。

多文化主義モデルか、社会統合モデルか

そのために、フランスの宗教社会学者で現代のアラブ世界にも造詣が深い**ジル・ケペル**の議論を見ておきたいと思います。ケペルは2008年に、「『文明の衝突』をこえて」というサブタイトルをもつ『テロと殉教』を出版していますが、そのなかでイスラムの原理主義運動を三段階に分類したうえで、ヨーロッパに数多く生活しているイスラム系の人々と、どう共生していくかを構想しています。

『テロと殉教』において、ケペルが取り上げるのは、2001年の9・11同時多発テロ以後、アメリカによって繰り返し発言された「《対テロ戦争》」と、「イスラム主義過激派」による「《殉教作戦》」です。それらを彼は、「二つの《大きな物語》」であると規定したうえで、その二つがともに破綻していると考えます。ケペルによると、「中東が、ひいては世界全体がこの

二つの《物語》のために政治的にのみならず、文化的にも、経済的にも、社会的にも行きづまっている」のです。

本書でわたしは《対テロ戦争》という《大きな物語》を徹底的に解明し、スンナ派とシーア派の対立を分析し、ジハードと殉教というディスクールを脱構築することをめざしたい。そして、内部に多様なイスラム系住民をかかえたヨーロッパに回り道をし、二つの《大きな物語》以外の選択肢がないかを検討することにしよう。イデオロギーの幻にたいして現実の多様さと厚みを対抗させるためには、まず過熱するメディアが大量にながすイメージから解放されなければならない[10]。

ここで注目したいのは、「ヨーロッパに根づいているイスラム系住民」に対して、ケペルがどのような議論を展開するか、という点です。「本書でわたしはヨーロッパのそうした現状を考慮に入れ、ヨーロッパが《テロ》と《殉教》のイデオロギーをのりこえ、イスラム系住民との関係をとおしてどんな風に新しい社会関係の厚みを構築していくことができるのか、という問題をさぐろうと思う」。そこで問題となるのは、イスラム系住民とよりよい社会関係を構築するにはどうすればよいか、ということです。『テロと殉教』のなかで、ケペルは西洋における二つのモデルを分類します。一つは、アメリカやイギリス、オランダなどが採用する「**多文化主義**」にもとづくモデルで、もう一つはフランスが採用した共和主義的「**社会統合**」のモデルです。一方の「多文化主義」のモデルは、差異の尊重という名のもとで、各文化の交流を行なわず、分離主義・隔離主義を推し進めます。その結果、急進的なテロが引き起こされる、とケペルは考えています。

> イギリスやオランダは多文化主義の論理を極端にまでおしすすめ、現地住民とイスラム系移民および定住したその子弟たちとのあいだで共通なアイデンティティ像をつくりあげる必要性を無視した。両国の実験の結果、誕生した社会はきわめて脆弱で、テロにつながる急進化の傾向を阻止する力をもたない。[11]

このようにケペルが述べるとき、彼の念頭にあるのは、イギリスやオランダで発生したイスラム教原理主義によるテロです。それに対して、もう一方のフランスの共和主義的社会統合モデルを、ケペルは高く評価します。フランスはヨーロッパ最多のイスラム系住民（2003年時点で500万人）を抱えていますが、2001年から2008年までイスラム系のテロが起こっていなかったのです。しかしながら、2005年にはイスラム系住民の暴動がフランスで発生していました。その暴動について、ケペルはどう考えるのでしょうか。

フランス郊外暴動事件がなによりもしめしていることはフランスの社会組織がテロの浸食に十分に抵抗力があるという事実である。新聞雑誌の性急な大見出しやテレビのクローズショットはまるで暴動が《対テロ戦争》という《大きな物語》に組み込まれるものであるかのようにわれわれに思わせたのだが、実際にはそれとはまったく無関係である。暴動は社会の周辺に追いやられた住民の社会的統合に不十分な点があることを明らかにした。しかし彼らもフランス社会と幅広い文化を共有している。かれらはフランス社会の枠のなかで要求しているのである。（中略）それはジハードや殉教というスローガンとは無縁なのだ。[12]

このように、２００８年の時点では、ケペルはフランスの共和主義的統合モデルが成功している、と見なしていたのです。ところが、２０１５年になると、そのケペルでさえも、今までの理解を撤回しているようです。フランスで起こった、1月の「シャルリー・エブド事件」*や11月の「同時多発テロ」を見れば、フランスだけがイスラム系住民との統合に成功したとは、決して言えなくなったのです。

ここから分かるのは、ヨーロッパのどの地域でも、深刻な対立が引き起こされている、ということです。とすれば、ケペルが２００８年に分類した**「多文化主義か、社会統合か」という二者選択モデルは、現在では通用しない**と言えるでしょう。

「個人的かつコスモポリタン的」な宗教は可能か

現代社会において、神を信仰することは、もはや対立しか生み出さない

シャルリー・エブド事件
風刺週刊誌を発行している「シャルリー・エブド」本社をアルジェリア系フランス人兄弟2名が襲撃、12名を殺害した。

のでしょうか。宗教には、もっと積極的な可能性はないのでしょうか。こうした観点から、現代において、宗教のもつ意味をあらためて問い直しているのが、ドイツの社会学者**ウルリッヒ・ベック**です。ケペルの『テロと殉教』と同じ２００８年に、ベックは『〈私〉だけの神――平和と暴力のはざまにある宗教』を出版し、宗教の新たな可能性を模索しています。

ベックといえば、チェルノブイリ原子力発電所事故が起こった１９８６年に、『危険社会』を出版し、「リスク論」の流行に火をつけました。また、「近代」理解をめぐって、イギリスのアンソニー・ギデンス*とともに、「再帰的近代化論*」を主張したことはよく知られています。

１９８０年代、世界的にポストモダン論が席巻していたなかで、ベックは現代社会をポストモダン（ポスト近代）ではなく、むしろ「近代の近代化」・「**第二の近代化**」として捉えました。この論点は、今回の宗教論でも一貫して保持されています。

ベックは、「世俗化のパラドックス」という概念を使って、その二つの近代化を説明しています。まず「第一の近代化」において世俗化が進行し、宗教および宗教共同体の無力化や、意味喪失が起こったのですが、今度は

アンソニー・ギデンス
１９３８年生まれ。イギリスの社会学者。ブレア政権のブレーンとして「第三の道」「ラディカルな中道」を提唱した。

再帰的近代化論
ギデンスやベックといった社会学者によって提唱された現代社会論で、現在はポストモダンではなく、モダンのモダン化であると主張した。

「第二の近代化」である現代において宗教的活性化・スピリチュアルな再魔術化への道が開かれた、というわけです。

ここで注目したいのは、ベックが単に現代世界（第二の近代）の状況を記述しているだけでなく、こうした宗教の回帰現象にみずから可能性を見出している点です。そのとき、ベックはどのような宗教を想定しているのでしょうか。多様な宗教の原理主義的運動が世界的に活性化するなかで、ベックはいかなる可能性を見出しているのでしょうか。

あらかじめ確認しておきたいのは、彼がキリスト教にもとづきながらも、できるかぎりニュートラルな宗教を考えていることです。ベックが積極的に提唱している宗教運動には、基本的な特徴として二つのポイントがあります。具体的には、**「個人化とコスモポリタン化」**ですが、それらを彼は、二つの「近代化」の観点から理解するわけです。つまり、「コスモポリタン化と個人化が、再帰的近代化の二つの契機をなしている」のです。

一方の「個人化」についていえば、もともとキリスト教の原理をなしていましたが、第一の近代化において、**「個人化Ⅰ」**、すなわち**宗教内部における個人化**（たとえばプロテスタンティズム）が生じます。それに対して、グローバリゼーションが展開される現代の第二の近代化において、「**個人化Ⅱ**」、すなわち**宗教からの個人化**（「自分自身の神」）が成立します。そして、この「個人化Ⅱ」こそが、ベックが提唱するものですが、注目したいのは既存の宗教と結びつくわけではないことです。

他方の「コスモポリタン化」というのは、どう理解したらいいのでしょうか。二つの「近代化」との関連で理解すれば、第一の近代化で成立するのが宗教的普遍主義であるのに対して、第二の近代化で可能となるのは宗教的コスモポリタニズムなのです。二つの違いを、ベックは次のように説明しています。

> 宗教的普遍主義は信仰者と不信仰者の間に差別を設けるが（中略）、他方、宗教的コスモポリタニズムは信仰をもたない者や他の信仰をもつ者をあるがままの多様性において相互に区別し、それらを自分自身の宗教的真理の独占を脅かすものと見るのではなく、とりあえずはまったく個人的な意味での財産として、そして最終的には通常の状態として受け入れる。(13)

ベック「二つの近代化」

第1の近代化

個人的で普遍的な宗教
プロテスタント

第2の近代化

個人的でコスモポリタン的宗教
自分自身の神

ベックによれば、こうしたコスモポリタニズムに必要なのは、「互いに排除しあうさまざまの普遍主義を超えて、諸宗教の相互承認という一種の基礎文化」です。そのために、ベックは、「真理の代わりに平和を」というプラグマティックな立場が有効だと考えています。しかし、これがじっさいに可能かどうかを、ベックが明示しているわけではありません。

キリスト教であれ、イスラム教であれ、ベックの提唱するコスモポリタンな「自分自身の神」を、はたして信仰するようになるのでしょうか。現代社会では、グローバリゼーションが進展し、世界中で住民移動が起こっています。また、消費文化が活発に行なわれ、個人化が進んでいることも確かです。しかし、だからといって、そこから「個人的でコスモポリタン的宗教」が成立するかどうかは、まったく別のことのように思えます。とすれば、どのような形で、宗教の対立や抗争を終息させることができるのでしょうか。

イスラム教とヨーロッパの未来

グローバリゼーションと宗教の関係を考えるとき、ベックとは異なる展望が開かれるかもしれません。そのために、ここで取り上げたいのは、フランスの小説家ミシェル・ウエルベック*が、2015年1月7日に発売した『服従』です。

ご記憶の方も多いと思いますが、この日はフランスで「シャルリー・エブド襲撃事件」が発生した日です。この一致は、単なる偶然とは思えないものでした。というのも、ウエルベックが発表したのは、2022年に**イスラム教徒のフランス大統領が誕生する**という近未来小説だったからで

ミシェル・ウエルベック
1958年生まれ。フランスの小説家、詩人。著作に『地図と領土』『素粒子』などがある。

す。この小説の内容と、イスラム過激派による襲撃事件が重なって、『服従』は発売されると同時に瞬く間にベストセラーになりました。

たとえば、発売一か月でフランスでは35万部、イタリアでは20万部、ドイツでは27万部売り上げた、と言われています。そのため、2015年の9月には、早速邦訳されました。作者のウエルベックの作品は、日本でもすでに『素粒子』(1998年)や『地図と領土』(2010年)などが翻訳されています。彼の小説は、現代社会における人間の自由や欲望を描き出し、その未来(ポストヒューマン的未来)を正面から見すえる点に特徴があります。

フランス国民がイスラム教徒の大統領を選ぶ?

今回の『服従』では、「フランスでイスラム政権が誕生する」という衝撃的な問題設定がとくに注目されました。この小説を手がかりに、テロリズムだけではない、イスラム教とヨーロッパの、もう一つの可能性を考えておきたいと思います。

小説のストーリーは、イスラム教原理主義の穏健派「イスラム同胞党」（架空）という政党がフランスで生まれ、２０２２年の大統領選挙で、マ*リーヌ・ルペンが率いる極右政党・国民戦線を打ち破って、フランス史上初のイスラム政権を樹立する、というものです。この政権が誕生することによって、ソルボンヌ大学は、「パリ＝ソルボンヌ・イスラム大学」へと改名され、非イスラム教徒の教授たちは改宗しなければ失職することになります。また、女性たちは、西洋的な衣服を脱ぎ捨て、イスラム的なベールを被ることになるのです。

主人公となるのはソルボンヌ＝パリ第三大学の教授フランソワですが、彼はフランス19世紀末の作家ジョリス＝カルル・ユイスマンスを研究しています。小説では、彼のきわめて現代（あるいはポストモダン）的な感覚が新鮮で、全編にわたってニヒリスティックな雰囲気が醸し出されています。たとえば、自分が従事している文学研究に対して、彼が次のように表現するとき、その覚めた眼差しが伝わってくるようです。

> 周知のことだが、大学の文学研究は、おおよそどこにも人を導かず、せい

マリーヌ・ルペン
１９６８年生まれ。２０１１年より国民戦線党首。２０１８年、党名を国民連合に変更。在任期間２０１１－２０２１年。国民戦線創始者で初代党首のジャン＝マリー・ルペンの娘。

ぜい、もっとも秀でた学生が大学の文学部で教職に就けるくらいである。それは明らかに滑稽な状況で、突き詰めると自己再生産以外の目的をもたず、有り体に言えば、学生の95％以上を役立たずに仕立て上げる機能を果たすだけの制度なのだ。⒁

イスラム政権が誕生した後、フランソワはすぐにイスラム教へ改宗することはありませんでした。それでも、最終的には改宗し、再び大学で教職に就くことを決意するのです。この小説の最後で、ウエルベックはフランソワに次のように語らせています。

ぼくはイスラム教徒になるのだ。（中略）新しい機会がぼくに贈られる。それは第二の人生で、それまでの人生とはほとんど関係のないものだ。
ぼくは何も後悔しないだろう。⒂

この小説のポイントは、イスラム政権の樹立がテロリズムによるのではなく、国民自身の選挙から誕生することです。社会の政治的・経済的な混乱のなかから、国民がみずから極右政党の国民戦線ではなく、イスラム同胞党を選ぶわけです。フランスには、個人主義的な「自由」が生活の隅々にまで行きわたっていますが、まさにこの自由にもとづいてイスラム政権を選択する、という事態が発生したのです。しかも、いったん政権が誕生したら、「自由」は「服従」へと転換するというパラドックスが引き起こされます。

もちろん、これは現実ではなく、あくまでも小説家による想像力の産物ですが、グローバリゼーションの帰結として、将来可能な現実と考えられるでしょう。たとえば、フランス国内の、公道でのイスラム教徒の礼拝は、2011年にサルコジ大統領によって禁止されましたが、禁止によって消滅するわけではありません。この風景を見ると、フランスの未来が予感できるのではないでしょうか。

グローバリゼーションは、一方で世界的なテロリズムを生み出しましたが、他方で「国民国家」そのものを再編していくように思えます。『服従』が問いかけるのは、ヨーロッパの未来に他なりません。

ジル・ケペル（1955〜）

フランスの政治学者、イスラム研究者。パリ政治学院教授。80年代には、「イスラム過激派を研究するのは時間の無駄」と言われたそうだが、現在ではむしろ、現代理解の必須の条件になっている。ケペルは、現代における「宗教の回帰現象」に早くから着目し、バランスのとれた分析を行なっている。日本語に訳されたものも、すでに5冊ほどはあり、イスラム問題を考えるときは、必読だと言える。

ウルリッヒ・ベック（1944〜2015）

ドイツの社会学者。ポストモダン論が流行していた頃、イギリスの社会学者ギデンスとともに「再帰的近代化論」を提唱し、注目を集めた。『危険社会』の校正中に、チェルノブイリの原発事故が起き、「リスク社会論」が一躍ブームとなった。その後、テロリズムなどのリスクにも関心を示し、「世界リスク社会論」を唱えるようになった。21世紀には、現代の「宗教回帰」に着目し、『〈私〉だけの神』を出版した。

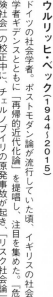

第3節

科学によって宗教が滅びることはありえない

グールドの相互非干渉の原理

現代社会における「宗教」の意義を考えるために、今度は科学と宗教の関係に光を当ててみましょう。というのも、科学が発展すれば宗教は衰退していくと考えられたのに、科学が発展する現代においても、宗教はいっこうに衰退する気配がないからです。とすれば、科学と宗教の関係を、あらためて問い直さなくてはならないでしょう。

この問題に対して、20世紀末から興味深い議論が展開されてきました。発端となったのは、進化生物学者のハーバード大学教授スティーヴン・ジェイ・グールド*が1999年に発表した『**神と科学は共存できるか?**』です。後にも触れますが、アメリカではキリスト教原理主義の活動が根強

スティーヴン・ジェイ・グールド
アメリカの古生物学者、進化生物学者、科学史家。進化論の論客として影響力をもった。

く、いまだに進化論よりも神の創造説が受け入れられることもあります。この状況で、グールドは科学者として、宗教にいかなる態度をとればよいか明確に答えようとしています。グールドは著作の意図を次のように述べています。

> 私が本書でとりあつかう問題とは、「科学」と「宗教」との間にあるとされている対立である。(中略)私には、科学と宗教が、どのような共通の説明や解析の枠組みにおいてであれ、どうすれば統一されたり統合されたりするのか理解できないが、しかし同時に、なぜこのふたつのいとなみが対立しなければならないのかも理解できない。
>
> 科学は自然界の事実の特徴を記録し、それらの事実を整合的に説明する理論を発展させようと努力している。一方、宗教はといえば、人間的な目的、意味、価値(中略)という、同等に重要であり、しかしまったく別の領域で機能している。(16)

グールドによれば、**科学と宗教とは、「まったく別の領域で機能してい**

る」ので、二つの活動を一つに統合したり、相互に対立させたりできません。また、一方を消し去って、他方だけを存続させることもできないのです。むしろ、それぞれの活動領域を守り、相手に対しては干渉しない態度が求められます。これを彼は、**「NOMA原理」**と呼んでいます。

私の考えでは、敬意をもった非干渉――ふたつの、それぞれの人間の存在の中心的な側面を担う別個の主体のあいだの、密度の濃い対話を伴う非干渉――という中心原理を、「NOMA原理（Non-Overlapping Magisteria）」すなわち「非重複的教導権の原理」という言葉で要約できるはずである。(17)

ここでグールドは、教導権（マジステリウム）という古いラテン語を使っていますが、その言葉は、「あるひとつの教え方が、有意義な対話と解決の適切な道具となる領域」を意味しています。こうした言葉を使って、グールドは科学と宗教の違いを次のように規定しています。

科学のマジステリウムがカバーするのは経験的な領域である――たとえば、

宇宙はどのようなものからできていて（事実）、なぜこのようになっているのか（理論）。これに対して、宗教のマジステリウムは、究極的な意味と道徳的な価値の問題の上に広がっている。これらふたつのマジステリウムは重なり合わないし、すべての問いを包摂してもいない。(18)

このようなグールドの「科学―宗教」関係は、一見したところ、現実的で穏当な議論のように思えるでしょう。宗教が科学の領域にまで口出しするのを防御するとともに、宗教の存在意義をも認めるという、ある意味で「大人の態度」を提唱しているからです。

無神論者ドーキンスの宗教批判

ところが、同じ進化生物学を研究しているオックスフォード大学教授リチャード・ドーキンス*は、こうしたグールドのＮＯＭＡ原理を厳しく批判し、宗教そのものを「妄想」としてしりぞけました。ドーキンスといえば、1976年に出版した『利己的な遺伝子』で進化生物学の一大ブームを引

リチャード・ドーキンス 165ページ参照。

き起こしましたが、今回は宗教に対して宣戦布告を行なったわけです。そのために、彼が2006年に発表した『**神は妄想である**』は、アメリカやイギリスだけでなく、世界中でベストセラーとなりました。

この書のタイトルで使われている「妄想（delusion）」というのは、精神障害の症候と関連していますが、それをドーキンスは、ロバート・M・パーシグ*の『禅とオートバイ修理技術』の次のような一節と重ねています。その部分を見ると、彼のスタンスがよく分かります。

ある一人の人物が妄想にとりつかれているとき、それは精神異常と呼ばれる。多くの人間が妄想にとりつかれているとき、それは宗教と呼ばれる。(19)

こうした宗教批判を展開するため、ドーキンスはグールドのNOMA原理を取り上げて、「ひろく行きわたった誤謬」と批判しています。グールドとは違って、ドーキンスは宗教の主張を仮説と見なしたうえで、それが科学的に正しいのかを検討しようとするわけです。ドーキンスによると、宗教が主張していることは、二つに大別することができます。一つは神が

ロバート・M・パーシグ
2017年死去。1974年に出版した『禅とオートバイ修理技術』はアメリカでベストセラーとなる。

存在するという「神仮説」であり、もう一つは道徳の根拠は宗教にあるという「**道徳仮説**」(この表現は筆者)です。そこでまず、「**神仮説**」と、それに対するドーキンスの結論を見てみましょう。

私は神仮説をもっと弁護のしようがある形で定義したいと思う。すなわち、宇宙と人間を含めてその内部にあるすべてのものを意識的に設計し、創造した超人間的、超自然的な知性が存在するという仮説である。(中略)宗教の事実上の根拠——神がいるという仮説——はもちこたえることができない。神はほぼまちがいなく存在しない。これが、本書のこれまでのところの結論である。[20]

このように、神が存在するという宗教の原理的な仮説を科学的に反論した後、ドーキンスは「道徳仮説」について検討していきます。というのも、神が存在しないとしても、宗教は道徳にとって重要である、と主張できるからです。じっさい、グールドのＮＯＭＡ原理でも、「道徳的な価値」の領域は宗教のマジステリウムとされていました。

ところが、ドーキンスによると、非道徳的で残虐な行為が宗教にもとづいて繰り返されてきたのです。ドーキンスは、聖書やコーランなどを具体的に引用しながら、宗教にもとづく非道徳的な行為を数多く提示し、そこから宗教が道徳的であることを強く否定するのです。それに反して、**宗教がなくても、人間は道徳的な行動をする**とドーキンスは考えています。

こうしたドーキンスの宗教批判が、キリスト教やイスラム教の原理主義的活動に触発されたことは、ドーキンス自身も明言しています。その意味では、ドーキンスの宗教批判は、「ポスト世俗化」する現代社会において、世俗化の意義をあらためて復権しようとする運動だと理解できるでしょう。彼の宗教批判がどこまで影響力をもつのか分かりませんが、『神は妄想である』が世界中で１５０万部も売れたことから考えると、科学と宗教の問題が、現代でさえも重要なテーマであることは間違いありません。

宗教を自然主義的に理解する

ドーキンスの『神は妄想である』と同じ年、世界的にも著名なアメリカの哲学者ダニエル・デネット*が『解明される宗教』を出版しました。ドーキンスが、宗教と科学を対立させて、科学の立場から宗教を批判・解体したとすれば、デネットのやり方はまったく異なっています。デネットは、ドーキンスのように宗教を非難することはありません。たとえば、デネットが著作の意図を次のように書くとき、その違いが分かると思います。

今や、世界的現象としての宗教は、この惑星上の叡智を結集して行なうことのできる徹底的な学際的研究に、委ねられるべきである。なぜか? なぜなら、宗教は、私たちにとってあまりにも重要であるために、それについて無知のままでいることはできないからである。宗教は、私たちの社会的、政治的、そして経済的な紛争に影響を与えるばかりではなく、私たちが自分の人生に見出すまさにその意味にも、関係している。(21)

このように宗教が重要であると明言するにもかかわらず、デネットの書物は、ある意味でドーキンス以上に宗教批判の本である、と言えます。原題（Breaking the Spell）のなかに登場する「呪縛（spell）」は、音楽など

＊ダニエル・デネット
―36ページ参照。

に熱狂したり、麻薬中毒やアルコール中毒、児童ポルノ中毒になった人が、はまり込んでいる陶酔感をも意味しています。したがって、「呪縛を解く」は「陶酔をさます」でもあるわけです。宗教に陶酔している人々に対して、酔いをさますように解き放つことが、デネットのねらいです。だからこそ、デネットは次のように語るわけです。

> 今まで、科学者や他の分野の研究者には、宗教には手をつけないでおこうとか、ちょっと触れるだけにしておこうといった、合意事項のようなものがあったが、合意事項とはいっても、ちゃんと検討されたものではなかった。なぜなら、徹底的な探求ということを考えるだけで、世の中に波風を立てそうだからである。私は、このような思い込みを打ち壊し、検討を加えようと思う。(22)

では、どうすれば「宗教の陶酔からさます」ことができるのでしょうか。この書でデネットがとった方法は、**宗教を多くの自然現象の一つと考え**て、それを科学的に探究することにあります。つまり、宗教と科学を対立させるのではなく、宗教という「自然現象」を科学によって解明するわけです。デネットは、彼のやり方を次のように表現しています。

> 気をつけてほしいのは、たとえ神が現実に存在し、神が私たちの愛すべき創造者であり、知的で意識的な創造者であることが、たとえ真実であったとしても、それでもやはり、宗教それ自体は、諸現象の複雑な集合体として、完全に自然的な現象であるということである。[23]

たしかに、宗教が自然現象であるとすれば、デネットの言うように、自然科学の方法にもとづいて完全に解明できるかもしれません。こうした解明を行なうために、デネットは進化生物学的視点に立ち、ドーキンスが提唱した文化的複製子「ミーム*」という概念を利用しています。

しかしながら、こうした方法によって、キリスト教やイスラム教の原理主義者が、じっさいに宗教の呪縛（陶酔）を解く（さます）かどうかは疑問が残ります。というのも、宗教を自然現象として科学的に解明することができるのか、それ自体が問題だからです。デネットの意図は理解できる

ミーム
ドーキンスが作り出した概念。遺伝子以外の遺伝情報。文化の伝達や複製の基本単位。

としても、はたして宗教を自然科学的に解明できるのでしょうか。

創造説とネオ無神論

ドーキンスやデネットのように、21世紀になって推進されている宗教批判は、一般に「**ネオ無神論**」と呼ばれていますが、この批判によって宗教は失墜してしまうのでしょうか。それを考えるために、第1章でも紹介したドイツの若手哲学者マルクス・ガブリエル*が2013年に出版した著作、『なぜ世界は存在しないのか』のなかの議論を見ておきましょう。

ガブリエルによれば、現代のネオ無神論が批判するような人々は、たしかにアメリカには存在しています。彼らは、「神が、キリスト誕生の数千年前のある時点で、宇宙と動物を創造したので、進化論や現代宇宙論は間違っている」という意見をもっています。そのため、自然科学よりも、創造説の方が自然をよく説明すると信じているのです。

こうした創造説に対して、ネオ無神論が「単に疑似――説明にすぎない」と批判したことは正しい、とガブリエルも評価しています。しかしながら、

***マルクス・ガブリエル**　79ページ参照。

彼は創造説について、次のようなコメントを付け加えているのです。

創造説は真面目に受け取られるべき科学的仮説ではなく、人間の想像力による恣意的な捏造であって、しかもとくに古いわけでもない。それが最初に現れたのは、19世紀であり、とくにアングロ・アメリカンのプロテスタンティズムにおいてである。幸運なことに、ドイツでは創造説は何ら役割を演じてはいない。（中略）創造説は宗教の自然な要素ではなく、むしろ迷信の一形態である。(24)

ここから分かるのは、ネオ無神論のように**創造説を批判したところで、本丸のキリスト教を批判できたことにはならない**ことです。それはどうしてでしょうか。

たしかに、『聖書』の「創世記」には、「初めに、神が天と地を創造した」と書いてあります。このセンテンスを、創造説もネオ無神論も科学的仮説として受け取ったのです。ところが、ガブリエルによれば、こうした理解は、ユダヤ教やキリスト教の「最初期の形而上学的解釈者」たちによって、すでに拒否されているのです。したがって、ネオ無神論が原理主義的な（「創造説」を主張する）キリスト教信仰を批判したところで、創造説をとらないキリスト教や他の宗教には、まったく影響しないのです。

それだけではありません。ガブリエルによると、すべてを「自然科学」の基準ではかろうとするネオ無神論には、危険性が潜んでいるのです。というのも、この基準では説明できない多くの現象があるからです。たとえば、その一つの例として、ガブリエルは〈国家〉を挙げて、次のように語っています。

> 〈国家〉は、自然法則を侵害する超自然的な対象だろうか。自然的なものの基準が自然科学によって探求されるべき能力のうちにあるとすれば、神や霊魂と同じように、〈国家〉は超自然的なものにすぎない。〈国家〉が存在するという仮説は、自然科学的には決定されないので、非科学的になり、ひょっとしたらまったくの恣意になるのだろうか。[25]

ここでガブリエルが主張しているのは、**すべてを自然科学だけで説明で**

きるわけではない、ということです。国家のあり方、機能などを理解するとき、自然科学によって説明しようとしても、何も解明できないでしょう。そもそも、国家は物理的に存在しているわけではありません。とすれば、「日本国家は存在する」という仮説は、物理的に存在しないのだから、非科学的で誤っている、と結論すべきでしょうか。

自然科学によって説明できる領域もありますが、だからといって、それがすべてではないのです。じつを言えば、創造説とネオ無神論は、いずれも宗教の領域を自然科学によって説明すると考えた点で、同じ土俵に立っているのです。

このように見ると、創造説を批判するネオ無神論によって、宗教の問題が片付くわけではないことが分かります。宗教にアプローチするには、自然科学とは異なる仕方が必要になりそうです。

本章をより理解するための ブックガイド

聖パウロ——普遍主義の基礎

アラン・バディウ著（2004年／長原豊、松本潤一郎訳／河出書房新社）

バディウは老いてもなお、若き頃の革命的な志をもったコミュニズムの哲学者である。最近では、思弁的実在論のメイヤスーの師としても知られている。その彼が、キリスト教史のなかでも議論が多いパウロを取り上げた意味は大きい。バディウは、パウロをどう解釈し、そこからキリスト教のいかなる可能性をくみ上げるのか、興味は尽きない。

The Future of Religion

Gianni Vattimo, Richard Rorty（Columbia University Press／2005）

アメリカとイタリアのポストモダン的な思想家の対談と、それぞれの小論を収録した書物である。ヴァッティモはカトリックであるのでそれほどでもないが、ローティに宗教を語らせるのは本人も述べているようにサプライズである。ともに解釈の多様性を主張し、絶対的な真理を批判することから考えて、いったいどのような宗教論が展開されるのか、興味津々。

The Many Altars of Modernity: Toward a Paradigm for Religion in a Pluralist Age

Peter L.Berger（De Gruyter Mouton／2014）

バーガーは20世紀末に編集した本の巻頭論文で、かつての「世俗化理論」が間違いだったことを認め、現代社会を脱世俗化社会として理解するよう提唱した。この考えを受けて、最近出版したのが本書である。世俗化理論の変更は、当然近代－現代理解にまで及んでくる。現代社会で宗教の意味を検討するには、バーガーの議論は外せない。

現代は「脱魔術化」か、それとも「再魔術化」か。この問題を考えるには、議論の発端となったマックス・ウェーバーの『職業としての学問』（岩波文庫、原著1919年）をじっくり読まなくてはならない。一昔前とは違って、現代において宗教が復活していると考えるのは、最近では常識のようになっている。ネグリやハートの『〈帝国〉』においても、最後の締めくくりとして「アッシジの聖フランチェスコの伝説」が言及されている。また、バディウの『聖パウロ』だけでなく、イタリアの現代思想家ジョルジョ・アガンベンの『残りの時』（岩波書店、原著2000年）でも、パウロに焦点が絞られている。さらには、ポストモダニストでマルクス主義者のテリー・イーグルトンも、『宗教とは何か』（青土社、原著2009年）を出版している。こうした事情を眺めると、宗教の問題は、今なお重大であり続けているというべきだろう。とすれば、今日頻発している宗教的な対立をどのようにして回避できるのだろうか。ユルゲン・ハーバマスが『自然主義と宗教の間』（法政大学出版局、原著2005年）において議論したのはこの問題である。

第6章

人類は地球を守らなくてはいけないのか

第1節

環境はなぜ守らなくてはいけないのか

1970年代以来、地球環境問題が人類にとって重要な課題と認識され、国連をはじめ多くの国や組織で、繰り返し議論されてきました。たとえば、2015年末にフランスで開催されたCOP21[*]でも、20世紀末の「京都議定書」に代わる新たな枠組みが提唱されたことは、ご存じのことでしょう。

こうした「地球環境問題」が語られるとき、いつのまにか「定番話」が形作られるようになりました。たとえば、デンマークの政治学者**ビョルン・ロンボルグ**が1998年に出版し、世界的に激しい論争を巻き起こした『環境危機をあおってはいけない——地球環境のホントの実態』（英語版2001年）を見てみましょう。そこでは、次のような物語が紹介されています。

COP21
国連気候変動枠組条約第21回締約国会議。二酸化炭素を多く排出している国の指導者たちによる会談。

地球上の環境はひどいことになっている。資源は枯渇しつつある。人口は増える一方で、食糧はますます少なくなっている。空気も水も汚染は進むばかり。地球上の生物種はものすごい勢いで絶滅している。——人類は毎年4万以上の生物種を絶滅させている。森林は消失しつつあり、漁業資源も崩壊して珊瑚礁も死につつある。人類は地球を汚していて、肥沃な表土は消失しつつあり、自然の上を人は舗装してしまい、野生を破壊し、生命圏を殺戮し、やがては自分自身をも殺してしまうことになるだろう。世界の生態系は崩壊しつつある。われわれは絶対的な生存可能性の限界に急速に近づいてきており、成長の限界が見えつつある。(1)

この手の「定番話」を真に受けると、やがて「人類の滅亡」が待ちうけているように見えます。こうした話は、「地球環境のホントの実態」とは乖離しているにもかかわらず、いつのまにか、現代人の無意識になったように思われます。その例として、アメリカの元副大統領アル・ゴア*が制作した映画『不都合な真実』(2006年)を挙げることができます。彼は、

アル・ゴア
1948年生まれ。アメリカの政治家であり、副大統領を務めたこともある。地球温暖化問題について世界的な啓発活動を行なっている。

世界中で講演活動を行ない、「**地球温暖化問題**」に警鐘を鳴らしました。この活動によって、彼は2007年にIPCC*とともにノーベル平和賞を受賞したのですが、この映画には事実誤認や誇張があって、必ずしも「地球」の現実を反映したものとは言えませんでした。そもそも、「定番話」が警告するように、はたして環境破壊によって、人類は滅亡するのでしょうか。

この問題を考えるために、本章では、どうして20世紀後半に、「地球環境問題」がクローズアップされるようになったのか、理解することにしましょう。というのも、「地球環境問題」が唱えられるようになったのは、近代社会の変化と密接にかかわっているからです。そして、この変化を捉えることによって、「定番話」とは異なる未来への展望も開かれるのではないでしょうか。

IPCC 気候変動に関する政府間パネル。地球温暖化についての科学的な研究の収集、整理のための政府間機構。

人間中心主義は環境破壊につながるのか

今日、「地球環境問題」がクローズアップされるようになったのは、1

967年に科学史家リン・ホワイト・ジュニア*が『サイエンス』誌に発表した論文「現在の生態学的危機の歴史的根源」が大きく寄与しています。この論文は翌年『機械と神』に収録され、60年代末の社会運動に影響を与えています。しかし、科学史家の論文が、どうして社会運動に作用を及ぼしたのでしょうか。

この論文でリン・ホワイトは、「われわれは20世紀の最後の三分の一に入って行くにつれ、生態学的きしみの問題にたいする関心が熱っぽく高まりつつある」と語ったうえで、具体的な問題として次のことを明らかにしています。

> 人口爆発、無計画な都市化のガン、下水や廃棄物のいまや地理学的となった処分、たしかに人間以外のいかなる動物も、これほど短期間にその巣を汚してしまうことはなかったであろう。(2)

それでは、このような生態学的危機の原因はどこにあるのでしょうか。リン・ホワイトによれば、かつて人間は自然の一部であったにもかかわら

リン・ホワイト・ジュニア
1987年死去。カリフォルニア大学ロサンジェルス校の歴史学教授だった。専門は、ヨーロッパ中世農業技術史。

ず、18世紀の半ばには、「科学」と「近代技術」が融合することによって、**人間が自然を搾取するようになった**のです。

いまから1世紀ちょっと前に、それまで全く離れていた活動であった科学と技術が一緒になり、多くの生態学上の結果から判断して、抑制のきかなくなる力を人類に与えたのであった。(3)

ここまでの議論であれば、ある意味では常識的な論調と言えるかもしれません。近代の科学と技術が発展することによって自然界が汚染された——この発想は、よく言われるところです。ところが、リン・ホワイトはこの発想を、キリスト教にまで広げていきます。たとえば、「われわれの科学と技術とは、人と自然との関係に対するキリスト教的な態度から成長してきた」と主張するのです。彼はこの態度を、人間が自然を超越しており、当然自然に対する支配権をもつという考えと説明したうえで、人間中心的（anthropocentric）と表現しました。

彼によれば、**キリスト教は人間中心的な宗教**であり、人が自分のために自然を搾取することが神の意志であると考えています。そして、19世紀の半ば頃、この宗教から科学と技術の融合が生まれ、それによって現在の生態学的危機が引き起こされたわけです。

環境破壊の原因を「人間中心主義」に求めるリン・ホワイトの主張は、現在からみると、ありふれた議論のように見えます。ところが、当時としては、きわめて衝撃をもって迎えられました。というのも、キリスト教や科学技術といった西洋の根幹をなすものが、環境破壊の根本的な原因と断定されたからです。そして、この論文以後、生態学的危機の原因として、人間中心主義を批判することが、環境を論じる際の定石になったわけです。

「土地倫理」と「環境倫理学」とは

1960年代には「生態学的な危機」が指摘される一方で、**環境保護の思想**も形成されました。そのなかで、重要な役割を果たした人物がアメリカのアルド・レオポルド*です。彼は20世紀初頭に森林管理の仕事に携わり、

アルド・レオポルド
アメリカの著述家、生態学者、森林管理官、環境保護主義者。著作に200万部以上の売り上げを記録した『野生のうたが聞こえる』がある。

その経験にもとづいて、１９４９年に『野生のうたが聞こえる』を出版したのですが、残念ながら彼はその出版の前年に亡くなっています。

出版された当初、この著作はほとんど注目されませんでした。ところが、１９６０年代後半になって、レオポルドの思想がいわば「発見」されたのです。その後、彼は環境思想の予言者とも呼ばれるようになりました。そうした経緯を、アメリカの環境思想史家ロデリック・ナッシュ*は次のように述べています。

> 現代のアメリカにおける環境倫理学の発展において、きわめて独創的で大きな影響を与えた思想家の1人、アルド・レオポルドの名声に対して、今日異議を唱える人はほとんどいないだろう。しかし、彼の「土地倫理」の思想と、大いなる名声の基礎は、『砂の国の暦』（『野生のうたが聞こえる』）（１９４９年）という本の結論部分に、わずか25ページの、しかも引用を明記していない論文にまとめられていたのである。そして、彼自身はこの本の出版を待たずに死んだのである。しかし、その後20年もたたないうちに、このレオポルドの声明は、アメリカ史上もっとも広範囲にわたる環境運動の、思想的な基

ロデリック・ナッシュ
カリフォルニア大学サンタバーバラ校の名誉教授。アメリカン・マインドと環境とのかかわりを研究している。

準となったのである。(4)

では、レオポルドは何を主張したのでしょうか。一つは、「**土地倫理**」という概念を提唱し、人間だけでなく、自然にまで道徳的に配慮するよう要求したことです。レオポルドによれば、「土地倫理とは、要するに、共同体という概念の枠を、土壌、水、植物、動物、つまりこれらを総称した〈土地〉にまで拡大した場合を指す」とされます。これにともなって、人間は自然の征服者から、「単なる一平民」になるわけです。こうして、土地共同体のなかで、人間は特別な地位をもたなくなります。

もう一つの論点として、レオポルドは自然のバランスを評価して、生態系に価値の基準を求めました。彼は、「**生態学的良心**」にもとづいて、次のような原則を述べています。「物事は、生物共同体の全体性、安定性、美しさを保つときには正しく、そうでないときには間違っている」。こうして、レオポルドは、従来の人間中心主義的自然観を払拭して、生態系に根本的な意義を認めることになったのです。

こうした考え方の転換を、レオポルドは「土地倫理」の最後のあたりで、次のような区別として、印象深く語っています。

自然保護主義者たちは、意見がまちまちなことで有名だ。これは表面的に見ると、この先ますます混乱を招くだけのように思えるかもしれないが、さらに詳しく調べてみると、多くの特定の分野で、いずれも共通して1点だけしか意見のくい違いがないことが分かる。つまり、どの分野でも、たとえばグループAは土地を土壌（soil）としてとらえ、土地の効用は商品生産能力にあると考えているのに対して、別のグループBでは、土地を生物相（biota）とみなし、その効用はもっと広い範囲に及ぶものと見ているのである。もっとも、どこまで広い範囲に及ぶかについては、議論と混乱が続いていることは否めない。(5)

通常、AグループとBグループは、経済的利益を追求する人間中心主義と環境的価値を重視する非人間中心主義（あるいは生態系主義）の対立と見なされてきました。しかも、この区別は、AかBかという二者択一の関係であり、環境保護のためには、経済的利益は否定されなくてはならない、とされたのです。

「ディープ・エコロジー」の功罪

この考えを極端に進めたのが、「**ディープ・エコロジー**」と呼ばれる急進的な環境保護運動です。「ディープ・エコロジー」というのは、ノルウェーの哲学者アルネ・ネス*が１９７３年に提唱した環境思想ですが、彼の考えは70年代にアメリカで広まり、環境保護運動に決定的な影響を与えました。しかし、そもそも、「ディープ・エコロジー」とはどのような環境思想なのでしょうか。

ネスがエコロジーの内部で区別した、シャロー（浅い）とディープ（深い）の違いに注意してみましょう。ネスによれば、汚染や資源枯渇と闘うのは「浅い（シャロー）エコロジー」であり、これは先進国の人々の健康と豊かさを中心的な目標としています。

それに対して、ネスは「深い（ディープ）エコロジー」を、まったく違ったものと考えています。このとき、「深い（ディープ）」というのは、何を

アルネ・ネス
ノルウェーの哲学者。ディープ・エコロジーの提唱者として世界的に有名。

意味しているのでしょうか。
「ディープ」という言葉について、ネスは次のように述べています。「『深い（ディープ）』という形容詞で強調される点は、なぜ、いかに、と他人が問題視しないことを私たちはするということです」。つまり、より深く疑問視する態度こそが、「ディープ」と呼ばれているのです。そして、「ディープ・エコロジー」がより深く疑問視するものが、まさに人間中心主義なのです。少し長くなりますが、基本的な概念が出てきますので、引用しておきましょう。

エコロジーの野外研究者にとり、生き栄えるという等しく与えられた権利は、その存在に疑いの余地のないことが直観的に理解される価値原理なのである。この権利を人間にかぎると人間中心主義に陥ることになり、人間みずからの生の質にも望ましくない影響を及ぼす。なぜなら人間の生の質は、他の生きものと親しくつきあうことから得る深い歓びや満足にもよっているからである。われわれの存在が他の生命に依存していることを無視したり、他の生命とのあいだに主従関係を打ち立てたりしようとするなら、われわれを自分自身から疎外することになってしまう。[6]

ここから分かるように、「ディープ・エコロジー」は人間中心主義を根本的に批判しますが、そのかわりに積極的に主張しているのが「**生命圏平等主義**」です。ネスは、原則として、動物も植物もすべて平等だと考えています。それだけでなく、彼はこの平等主義をさらに進めて、河川（流域）・景観・文化・生態系・〈生きている地球〉のごとく、生物学者が無生物に分類するものさえ、含めようとします。

つまり、人間を取り巻く環境の全体が、人間と同じ価値をもち、等しく尊重されるべきだと考えるのです。かなり情感的な次の表現が、ディープ・エコロジーの主張をよく伝えています。

いま、傷ついたこの地球に暮らすすべての生命と分かち合いを行なうべき時が来ている。それは、個々の生きもの、動植物の集団、生態系、そして古くからのすばらしい私たちの星ガイア（地球）との同一化を深めることで実現する。[7]

このような「ディープ・エコロジー」の主張を見ると、おそらく「エコロジー」の一般的なイメージと結びつくのではないでしょうか。「環境保護」や「エコロジー」というと、現代の便利な生活を捨て去って、牧歌的な自然のなかで暮らすことだと考える人が少なくありません。

しかし、その連想はこの「ディープ・エコロジー」にあると言えます。とはいえ、現代社会から逃れ去って、はたして環境保護ができるのでしょうか。それを考えるために、ネスがどんな世界を想定しているのか見てみましょう。

ディープ・エコロジーには、（中略）人口を持続可能な最低限度にまで減少させるという目標があります。**百年前にあった文化の多様性を有するには、せいぜい10億ぐらいの人口がいい**でしょう。さまざまな動植物の保存が必要なように、さまざまな人間文化の保存も必要です。(8)

しかし、現在の人口はすでに80億を超えています。それなのに、どうやって、10億の人口にできるのでしょうか。

現在エコロジーといえば、「自然との共生」や「地球にやさしい」といったフレーズがしばしば語られます。また、環境破壊の元凶が人間にあるように告発されることも少なくありません。こうした発想の源泉となっているのが、「ディープ・エコロジー」にあるのは、明らかだと思います。

けれども、このエコロジーは、どこまで有効なのでしょうか。現実的に可能かどうかというだけでなく、基本的な発想においても、ディープ・エコロジーには問題があると思います。

第2節 環境論のプラグマティズム的転換

環境保護は道徳と関係がない

1960年代の環境保護主義の高まりを受けて、70年代になると、アメリカでは「**環境倫理学**」という学問が形成されました。今まで倫理学といえば、人間と人間の関係を律する学問と考えられてきましたが、新たに自然環境への人間のかかわりをも問題にするようになったのです。自然界の一員として、ヒトは環境に対して何をしてよく、何をして悪いのか、議論すべきだというわけです。

この学問は当初、「土地倫理」や「ディープ・エコロジー」などの影響もあって、人間中心主義を批判して生命中心主義や生態系中心主義を唱えることが主流となっていました。極端な場合には、環境のためには人間の生命も犠牲にしてよい、といった「環境ファシズム」さえ語られたのです。

ところが、こうした主張を具体的にどう実践していくか考えると、ほとんど方針が立たないのです。環境倫理学が人間中心主義をどれほど批判し、また自然の価値をどんなに強調しても、環境に対する現実的な政策には、ほとんど影響を与えなかったのです。そのため、１９８０年代になる頃には環境倫理学も当初の魅力を失っていきました。

ところが、現代社会の状況を見れば、環境的な危機は過ぎ去ったわけではなく、むしろ一層増大しているように見えます。こうした状況のなかで提唱されるようになったのが、「環境プラグマティズム」と呼ばれる潮流です。この動きは、１９９６年に論集『環境プラグマティズム』を出版することによって、広く認識されるようになりました。編集者たち（アンドリュー・ライトとエリック・カッツ）によって書かれた序文を見ると、この思想の背景がよく分かります。


環境倫理学は今、奇妙な問題に直面している。一方では、この学問は人間と非人間的な自然界とのあいだの道徳的関係を分析することで、重要な一歩を成し遂げた。（中略）ところが他方では、環境倫理学という分野が環境政策の形成に対して、いったいどのような実際的な影響を与えてきたかはよく理解できなかったのである。環境哲学者たちの学会内部での論争は、興味深く刺激的で手の込んだものではあるが、環境にかかわる科学者や活動家、政策形成者たちの考えに対しては、何ら現実的なインパクトを与えてこなかった。環境倫理学内部のさまざまなアイデアは、明らかに有効な力をもっていない。(9)

では、従来の環境倫理学はどこが問題だったのでしょうか。環境倫理学が実践的な仕事を発展させることに失敗したのはどうしてなのでしょうか。ライトとカッツは、次のように述べています。

おそらく、一つの理由は方法論的で理論的な教条主義にある。環境倫理学の主流では、（中略）次のような合意ができあがっていた。（中略）つまり、適切で有効な環境倫理学は、非人間中心主義、全体主義、そして道徳的一元論を受け入れるべきであり、さらには、おそらくある種の内在的価値を選択すべきだ、という合意である。(10)

今まで環境保護を唱えるとき、人間中心主義か非人間中心主義か、人間の経済的利益か自然の全体的生態系かという二者択一が提示され、非人間中心主義、自然の生態系を重視するよう求められてきました。ところが、こうした主張は、現実性に乏しく、じっさいの政策立案に役立たないのです。そこで、もっと現実的な環境政策を考えるには、どんな理論が必要なのか、問い直されたわけです。

経済活動と環境保護は対立するか

従来の非人間中心主義的なエコロジーに対する批判は、環境プラグマティズム以外からも行なわれています。たとえば、人間の経済的利益を無視する狂信的なエコロジー運動に対して、経済学者であり倫理学者でもあるアマルティア・セン*は、次のように批判しています。

産業の発展、エネルギー消費、大規模な灌漑、商業目的の森林伐採は、確

アマルティア・セン　239ページ参照。

かに必ずしも自然にとってよいことではありません。経済発展が環境破壊の原因であると考えることも、表面的には可能でしょう。しかし、他方ではエコロジー運動活動家は、しばしば反経済成長を拡大させる狂信的人物として非難されているのです。貧困削減と経済発展、エコロジーの推進と環境保全、この両者が緊迫した関係にあるとする見方は、根本的に誤っています。経済発展と環境は矛盾するどころか、両者を統合しなければならないのです。結局、経済発展とは責任感を植えつける過程であり、経済発展というパワーは環境破壊ではなく、環境保全や改善に利用することが可能なのです。[11]

ここでセンが示唆しているのは、経済と環境を対立させるのではなく、むしろ統合することです。しかし、問題は経済と環境はどうすれば統合できるのか、ということです。

その試みの一つとして、「**生態系サービス**」という考えに着目してみましょう。この考えは、21世紀を迎える頃、国連を中心に提唱された考えです。それによると、「人々が生態系から直接・間接に享受する便益」を意味しています。

この「生態系サービス」は、一般に四つに分けて議論されています。①食糧・水・木材・繊維・遺伝子資源などを供給するサービス、②気候・洪水・疫病・水質を調整するサービス、③レクリエーション・審美的享受・精神的充足感などの文化的サービス、④土壌形成・花粉媒介・栄養塩循環などのように、他の生態系サービスの基盤となるサービスです。

ここから分かるのは、**「生態系」という環境の価値が、サービスという人間的な経済利益と結びつくこと**です。こうした方向で、実際に、生態系サービスを全地球的な規模で経済的に評価した研究が、1997年の『ネイチャー』誌に掲載されました。環境経済学者のロバート・コスタンザ*たちは、「世界の生態系サービスと自然資本の価値」という論文で、「生態系サービス」を17の種類に分け、それぞれの全地球的な価値を貨幣評価しているのです。それによれば、地球全体の生態系サービスの貨幣価値は、年間16兆ドルから54兆ドルであり、平均値としては、およそ33兆ドルと見積もられています。

この評価で注意すべきは、生態系サービスの評価については、現在のところ不明な点が多く、評価額はあくまでも最少額だ、という点です。した

ロバート・コスタンザ　1950年生まれ。アメリカの経済学者。専門は環境経済学。「生態系サービス」の研究で知られる。

がって、研究の進展によって、評価額はもっと増加することが予想されます。それにしても、この評価額は決して少ないものではありません。というのも、当時の世界全体のGNP（当時の基準）の年間総額が、およそ18兆ドルだったからです。この額を見ると、生態系サービスがいかに高い評価なのか、理解できると思います。そのため、コスタンザの研究チームも、次のように述べています。

この研究が明確にしたものは、生態系サービスがこの地球上における人間の福利に対して、きわめて重要な寄与をなしていることである。(12)

しかし、そもそもコスタンザたちは、どのようにして「生態系サービス」の評価を行なったのでしょうか。これについて、近年注目されているのは、CVM（仮想評価法）と呼ばれる方法です。これは、アンケートによって「環境を守るためにいくら支払ってもよいか」という支払意思額（WTP）を尋ねて、環境の価値を金額で評価する方法です。コスタンザたちの評価も、基本的にはこの方法を使っています。

われわれの研究で使われている評価法は、直接的あるいは間接的な仕方で、生態系サービスに対して個々人がいくら「支払う意思」があるのかを評価するものである。[13]

この方法に、問題点があることは、コスタンザたちも自覚していますが、それでも環境の価値を生態系サービスという形で、客観的に打ち出したことは重要ではないでしょうか。環境の価値を、人間の経済的な利益と対立して理解することは、現代ではもはや不可能になっています。

環境プラグマティズムは何を主張しているのか

こうした環境の評価法に対して、環境プラグマティストはどう考えるのでしょうか。その代表的な主張者の一人**ブライアン・ノートン**は、２００５年に大著『持続可能性――適応的生態系管理の哲学』を出版して、環境と経済との統合をめざしています。たとえば、ノートンは次のように語っています。

私は、たいていの環境倫理学者たちのように、経済学を環境評価の基礎とすることを拒否することはしない。むしろ、私は**経済学が環境評価にかんして、ある重要な観点を提供している**と信じている。[14]

この点は、CVMと呼ばれる「仮想評価法」についても変わりません。ノートンによれば、環境に対する「経済学的アプローチや仮想評価研究の価値」は、否定することができないのです。それにもかかわらず、ノートンは環境の経済学的アプローチに対しては、批判的な態度を表明しています。その理由は、どこにあるのでしょうか。ノートンは、「一元論」と「包括的」という概念を援用しながら、次のように語っています。

私の批判は、経済的評価が（あらゆる環境財を経済的消費財として解釈するような）一元論的であり得るのであり、また同時に環境の価値についての包括的な取り扱いを提供できる、という一般的な主張に向けられている。[15]

ここで批判されているのは、経済的評価法だけで環境の価値をすべて汲みつくしえる、という考えです。生態系サービスを貨幣額によって評価することは、環境の価値を経済的視点からのみ取り扱うことを意味します。従来の発想では、環境の価値は経済の外部にあると考えられてきました。ところが、今や環境の価値が経済学の視点から理解可能になったわけです。そのため、経済学が環境を包括しているように見えます。しかし、こうした手法は、ノートンにとっては、従来（非人間中心主義）とはまったく逆の立場から、「一元論」が復活したように映るのです。

これに対して、環境プラグマティストであるノートンは、「一元論」を厳しく斥け、多様な立場や評価を許容する「**多元論**」にコミットするのです。

われわれは、すべての文化が自然や自然過程を多くの仕方で価値評価する、という多元論的観点から出発できる。われわれは、第一歩として、こうした多様な価値を表現するのに十分豊かなボキャブラリーや機能的尺度を発展させなくてはならない。われわれはこうして、多元論を作業仮説として構想するのである。[16]

多元論を具体的に理解するために、たとえば水鳥の生息地となっている湿地を保護すべきかという問題を考えてみましょう。人間中心主義の立場に立って、その湿地を開発した方がいい、と主張する人もいます。また、狩猟の楽しみから、むしろ湿地を保護すべきだ、と主張する人間中心主義者もいるでしょう。あるいは、その地域の生態系を守るために、非人間中心主義の立場から自然保護運動を進める活動家もいます。これらの人々は、それぞれ異なる価値評価から、同じ問題に取り組むわけです。

こうした多元論の立場からすれば、生態系サービスの貨幣額による評価は、環境の価値に対する一つのアプローチではあっても、それだけで環境の価値をすべて包括できるわけではありません。ただ一つの基準だけで環境の価値を評価できると思うのは、けっきょく一元論的な還元主義に他ならないのです。

とすれば、環境の価値を考えるとき、経済的な分析とは異なるアプローーチが必要ではないでしょうか。その問題を考えるために、次に「リスク社会論」を取り上げることにしましょう。

ブライアン・ノートン（1944～）

アメリカの哲学者。ジョージア・テクノロジー研究所教授。人間中心主義を批判する環境倫理学に対して、プラグマティズムの立場へと方向転換し、現実に有効な理論を形成するように主張した。また、価値の一元論を批判して、多様な立場から環境保護をすることへ向かい、そのために「収束仮説」や「弱い人間中心主義」を提唱した。2005年には、大著『持続可能性』を著し、新たな環境倫理学を体系化している。

第3節 環境保護論の歴史的地位とは

リスク社会の到来

現代において、環境保護の問題を考えるとき、基本に据えるべきは「費用・便益」分析よりも、むしろ「リスク」評価ではないか――こう主張する向きもあるでしょう。たとえば、原子力発電所を考えてみれば、よく分かるはずです。日本をはじめ世界中で、原子力発電所が建設されているだけでなく、将来の建設計画も明らかにされていますが、原子力発電所はいったん事故を起こせば、対処が困難であるだけでなく、長年にわたって被害を与え続けます。

しかも、そうした事故を、私たちは何度か経験しているにもかかわらず、いまだにその教訓が生かされているようには見えません。原子力発電所の事故による深刻な環境破壊を抜きに、環境問題を論じることはできないと思います。

ここでは、原子力発電所事故による具体的な環境破壊を論じるのではなく、むしろ、そうした環境破壊の歴史的な位置づけについて考えてみたいと思います。そのために、前章でも紹介したドイツの社会学者ウルリッヒ・ベック*の「リスク社会論」を取り上げてみましょう。というのも、ベックが『危険社会――新しい近代への道』を発表したのは、1986年にチェルノブイリ原子力発電所の事故が起こった直後だったからです。その書の序文において、ベックは次のように書いています。

貧困は排除することができるが、原子力の危険は排除するわけにはいかない。排除しえないという事態の中に、原子力時代の危険が文化や政治に対してもつ新しい形態の影響力がある。（中略）原子力時代の危険は、全面的かつ致命的なもので、いわば、あらゆる関係者が必ず死刑執行台に送りこまれるのである。原子力汚染の危険性を告白することは、地域、国家、あるいは大陸の全域において逃げ道が断たれたという告白にほかならない。(17)

ウルリッヒ・ベック　308ページ参照。

では、こうした「原子力時代の危険」を、ベックはどのように捉えたのでしょうか。『危険社会』のサブタイトルにも示唆されていますが、彼はそれを「再帰的近代化論」のなかに位置づけています。

すなわち、第一の近代化である「産業社会」に対して、現代の「リスク社会」を「第二の近代化」と規定するのです。近代化のこうした変化について、ベックは次のように述べています。

本書の中心となるアイデアは、歴史的な類推によって説明するのが、最も分かりやすいだろう。つまり、19世紀においては、身分的に硬直してしまった農業社会が近代化の過程によって解体され、産業社会の構造があらわにされたが、これと同様に、今日の近代化によって産業社会の輪郭は解消されるのである。そして近代は、連続的に発展するものの、そこには今までとは違う別の社会の形態が生じるのである。[18]

ベックによると、近代化は、19世紀に「産業社会」を成立させましたが、

20世紀の70年代（ドイツ）には「リスク社会」へと移行しているのです。そのような「リスク社会」への移行について、次のように述べています。

> 生産力の発達の最も新たな段階で生じたリスクは、本質的には富とは異なるのだが、――私がここでリスクと考えているのは、まず何よりも直接は人間が知覚できない放射能である。さらに、空気、水、食品の有害物質と、それが及ぼす植物・動物・人間に対する短期的・長期的影響をも指している。[19]

しかし、そもそも「リスク」とは何を意味するのでしょうか。また、「危険」や「脅威」と「リスク」はどう違うのでしょうか。それについてベックは、『危険社会』のなかであまり明確な規定を与えていないのですが、あえて言えば、二つの特徴を指摘できるでしょう。

一つは、「未来において生じる可能性のある危険」であって、確率的な予測ができるものです。もう一つは、ブーメラン効果と呼ばれますが、人間による活動が人間自身に戻ってくる事態を意味しています。「リスク」は単なる自然災害のように、降って湧いたものではなく、人間自身の活動によって生み出されたものなのです。だからこそ、ベックは次のように語っています。

近代に伴うリスクにあっては、遅かれ早かれ、それを創り出すものも、それによって利益を受けるものもリスクに曝されるのである。リスクは階級の図式を破壊するブーメラン効果を内包している。富める者も、権力を有する者も、リスクの前に安全ではありえない[20]。

こうした「リスク社会論」は、たしかに現代の環境的な危機を考えるとき、重要な視点を提供するように見えます。じっさい、具体的な環境政策を問題にするとき、「予防原則」にもとづいて、「リスク」評価を行なうことが常識になっています。しかし、「リスク」を具体的にどう評価するかという点では、必ずしも意見が一致するわけではありません。

ポストモダン化する環境哲学

現代の環境的危機に直面して、ベックが「リスク社会論」を提唱したとき、彼は「近代化」の新たな段階として位置づけました。しかし、環境的な危機に対して、近代的な思考の枠組みで、はたして対処可能なのでしょうか。むしろ、近代を超えるような発想が必要になるのではないでしょうか。

こうした視点から、環境倫理学を構想しようとするのが、アメリカの哲学者**ベアード・キャリコット**です。キャリコットは、「生命中心主義的価値観」から環境倫理学に携わり、ある場合には「環境ファシズム」とも理解できる発言を行なってきました。その彼が、１９９４年に『地球の洞察』を出版して、環境哲学の意義を歴史的に位置づけたのです。

それによると、探求されるべき環境哲学は、近代的な思考を超えるポスト・モダニズムだ、というわけです。ただし、注意が必要で、ポスト・モダニズムには二つの形態があって、一方の「脱構築主義のポスト・モダニズム」は虚無主義であり、冷笑的であるとして斥けられます。それに対して、キャリコットが採用するのは、**「再構築主義のポスト・モダニズム」**の方です。

再構築主義のポスト・モダニズムは、創造的で楽観主義的である。それが目ざしているのは、伝統的な近代科学はもはや死んだのであるから、それを基礎とする老朽化した近代の世界観の残骸やガラクタを一掃することである。さらには、それに代わるものとして、「新物理学」(相対性理論と量子理論)と「新生物学」(進化論と生態学[エコロジー])を基礎とする世界観を再建することを目ざしている。(21)

この図式が妥当かどうかは別にして、対立の構図はきわめて分かりやすいと思います。すなわち、「近代科学とそれにもとづく近代的世界観」⇕**「ポストモダンの科学(新物理学と新生物学)**とそれにもとづくポストモダンの世界観」という図式です。こうして、キャリコットは、環境保護主義として展開されてきた科学や哲学を、近代を超えるものとして理解するわけです。

このような理解から、キャリコットはレオポルドの「土地倫理」やネスの「ディープ・エコロジー」について、近代を超えるポストモダンな環境哲学として評価しています。たとえば、レオポルドについては、「彼の土地倫理が（中略）、方向性としては、完全にポストモダンの性格をもった環境倫理の理想へと通じている」と述べています。また、ネスの「ディープ・エコロジー」は、「生態系」を複雑な階層をなす諸関係のネットワークと考えるので、近代的な人間中心主義を超え出たポストモダンの環境倫理と理解されるのです。こうして、キャリコットは、来たる21世紀に対して、次のような展望を語ることになります。

人間の生活は20世紀の技術的進歩によってとてつもなく改善されると同時に、とてつもなく貶められ、貧困化した。**人間の利益を維持しながら、近代の技術の環境的な代価を最小にとどめること**こそ、21世紀のグローバルな最優先課題となるだろう。（中略）そうした理想の一つが、新しいポスト・モダンの環境倫理である。この地球の多くの土着の文化的伝統の知の要素とポスト・モダンの国際的な科学の要素、この両者を一つの対をなすように、相互に補完し合う調和した関係にもたらすこと、それが、まぎれもなくポスト・モダンの環境倫理を構築するためになさなければならないことである。(22)

1980年代には、世界的にポストモダン論が流行し、その提唱者であるフランスの哲学者ジャン・フランソワ・リオタール*も、「ポストモダン科学」を推奨していました。この流行と合流する形で、キャリコットが近代的な自然観に代わる新たな環境倫理を求めた背景は、理解できるような気がします。

しかしながら、現時点から見ると、「ポストモダン科学」の意義がはっきりせず、そのうえポストモダン論の流行自体も終わりましたので、キャリコットが21世紀の課題として「ポストモダンの環境倫理」を提唱しても、今ではほとんどリアリティを感じないのではないでしょうか。現在の環境的な危機に対処するために、はたしてポスト・モダニズムは有効なのでしょうか。

ジャン・フランソワ・リオタール
47ページ参照。

終末論を超えて

現代において環境保護を考えるとき、ベックは産業社会に代わる「第二の近代化」として「リスク社会論」を構想し、キャリコットは近代的な世界観を超える「ポストモダンの環境倫理」に活路を見出しました。しかし、「第二の近代化」であれ、「ポストモダン」であれ、環境的な危機に対処するのに、新たな社会理論や世界観がはたして必要なのでしょうか。

じつは、こうした考えの根底には、リン・ホワイト・ジュニア以来形づくられてきた発想があるように思えます。それは、今までの「近代的な」考えと生活を続けていけば、やがて地球の破滅と人類の滅亡につながる、という終末論的な発想です。これを回避するため、従来とは異なる（たとえば、「第二の近代化」やポストモダン）思想が要請される、というわけです。

しかし、人口に膾炙した人類滅亡といった終末論そのものが、怪しいのではないでしょうか。むしろ、こうした終末論的発想を前提とせず、地球環境の現実を吟味し直す態度こそが必要ではないでしょうか。

本章の導入部で、終末論的な発想を示す定番話を紹介しましたが、それに対して、ビョルン・ロンボルグは次のように述べています。「この定番の話はみんなよく知っていて、もうあまりに何度も聞かされたので、それをもう一度繰り返されるとむしろ安心するほどだ。ただ、ここに問題が一つ。これは手に入る証拠では、どうも何一つ裏づけがとれないのだ」。たとえば、具体的な数値を示しながら、ロンボルグは次のように明言するのです。

エネルギーも天然資源も、枯渇しそうにない。世界人口の一人当たり食糧はどんどん増える。飢える人はどんどん減る。1900年の期待寿命は30年。それが今日では、67年だ。国連によれば、過去50年での貧困削減は、それに先立つ500年より大きな実績をあげていて、しかもそれはほとんどすべての国で起きている。

地球温暖化は、（中略）総合的な影響を見ると、未来にとってそんなにすさまじい問題を引き起こさない。また生物種だって、ぼくたちの存命中に全生物種の25～50％が死に絶えるなんてことはない——たぶん、0.7％がいいとこだろう。酸性雨は森林を破壊しないし、ぼくたちのまわりの水も空気もどんどんきれいになってきている。

人類という連中は、計測可能な指標のほとんどあらゆる面で、じつは改善を見せているのだ。[23]

こうしたロンボルグの記述を見ると、今まで定番話を聞かされてきた人々は、おそらく疑惑の目をもつかもしれません。しかし、ロンボルグの記述は、それぞれ公共的な機関が発表しているデータの裏づけがあって、きわめて説得的なのです。この点は、「地球温暖化」問題を問い直す２００７年の著作『地球と一緒に頭も冷やせ！　温暖化問題を問い直す』でも一貫しています。

具体的な数値データをもとにして、過熱気味の「地球温暖化問題」に対して、いかなる態度をとるべきか、冷静に論じています。

しかし、そもそも、ロンボルグはどうして環境問題を批判的に検討するのでしょうか。その意図について、彼は次のように述べています。

絶え間なく繰り返される定番の話や、よく耳にする環境問題の誇張は、深刻な影響をもたらす。それは人々を怯えさせて、実在しない問題の解決にリソース（多様な資源）と関心が向けられる一方で、本当の重要な（時に環境以外の）問題が無視されることになりがちだ。だからこそ、本当の世界の状態を知ることが大事だ。できる限り最高の意思決定をするために、できる限り最高の情報と事実を手に入れなきゃならない(24)。

つまり、誇張されることによって、人々を怯えさせる実在しない問題ではなく、むしろ本当の重要な（時に環境以外の）問題を解決するために、リソース（多様な資源）と関心を向けよう、というわけです。世界の本当の状態を知ることによって、最優先事項が何であるかを冷静に議論する態度が必要なのです。

地球温暖化対策の優先順位は？

では、地球環境問題の優先順位は、具体的にどう考えたらいいのでしょ

世界をよくするために何にお金を使うべきか

コペンハーゲン・コンセンサス2004で示された政策の優先順位

	課題	対策
とても良い政策	1 伝染病	HIV／AIDS抑制
	2 栄養失調	微量栄養素供給
	3 補助金と貿易	貿易自由化
	4 伝染病	マラリア抑制
良い政策	5 栄養失調	新農業技術開発
	6 衛生と水	生活用小規模水技術
	7 衛生と水	コミュニティ管理の上下水設備
	8 衛生と水	食糧生産の水効率改善研究
	9 政府	企業コスト低下
まあまあの政策	10 移民	技能労働者の移動障壁削減
	11 栄養失調	乳幼児栄養状態改善
	12 栄養失調	誕生体重不足の改善
	13 伝染病	基本的健康サービス改善
だめな政策	14 移民	未熟練労働者の一時受け入れ政策
	15 気候	最適炭素税(25−300ドル)
	16 気候	京都議定書
	17 気候	バリューアットリスク方式炭素税(100−450ドル)

出典:『地球と一緒に頭も冷やせ!』70頁

うか。

そのために手掛かりとなるのが、ロンボルグが立ち上げた「コペンハーゲン・コンセンサス」です。世界から著名な経済学者を招き、**「今後4年間で、500億ドルの費用をかけて世界の役に立てるとしたら、どこに使うべきか?」**という問題に取り組んだのです。2004年に第1回の合意が発表され、その後4年ごとに発表されています。

このコンセンサスでは、10の緊急課題に対応する17の対策に、資金をどう配分するのが望ましいか議論し、順位づけを行なったのです。その17の対策について、図に示すような結果が発表されています。ここから分かるのは、**「地球温暖化」の優先順位が(最)下位である**ことです。それなのに、国連をはじめとして、世界では「温暖化対策」のために膨大な費用をかけています。このギャップについて、ロンボルグは次のように述べています。

先進国の多くの人は相変わらず、気候変動にばかりすさまじい注意を向けている。(中略)日本、スペイン、フランス、イギリス、ドイツの人々は、気候変動をとても心配している。オーストラリアで最近行われた調査では、世界指導者にとっていちばん重要な課題は、貧困撲滅でもなければテロ対策、人権、HIV／AIDSでもなく、環境配慮とされていた。同じような別の調査では、アメリカ、中国、韓国、オーストラリアはみんな、地球環境の改善が世界の飢餓対策よりも重要な外交課題だと述べていた。韓国は、16の主要な世界的脅威のトップに環境問題を挙げていたほどだ。

他にもニーズが大きくて、しかもずっと大きな成果を挙げられるような領域がこれだけあるのに、なぜ気候変動にばかりこだわっているのか、考えてみる必要があるだろう。[25]

「地球温暖化問題」の優先順位が低いといえば、もしかしたら強い反発が引き起こされるかもしれません。じっさい、国連のIPCCなどでは、こうした議論はタブー視されているようです。しかし、そうした態度はむしろ、「地球温暖化論」の政治性を示唆するのではないでしょうか。

「環境問題」を21世紀に問い直す

注意しておきたいのは、「コペンハーゲン・コンセンサス」が、ノーベル経済学賞受賞者をはじめ、多くの超一流の研究者たちから構成されていることです。したがって、組織（国連）の立場に反するという理由で、最初からコペンハーゲン・コンセンサスの声明を閉めだすことは、避けなくてはなりません。

反対する理論や思想を排除することは、歴史上しばしば繰り返されてきましたが、たいてい閉めだした組織そのものが硬直性を引き起こしたにすぎません。

じっさい、IPCCについては、2009年に発覚した「クライメートゲート事件」*をはじめ、その実態が近ごろ明らかにされつつあります（これについては、2016年に翻訳された『ホッケースティック幻想』が参考になります）。

また、気候変動の原因につきましても、炭素ガス原因説とは異なる理論が提出されています。そのため、「地球温暖化」に関する従来の説明には、

クライメートゲート事件
英イースト・アングリア大学における気候研究ユニットの地球温暖化の研究に関連した電子メールと文書が公開されたことによって発生した一連の事件。

さまざまな疑問点が出てきています。こうした状況を考えると、「温暖化論」だけでなく、「地球環境問題」として今まで作りだされてきた理解の仕方を、もう一度根本から捉え直す時期に来ているのではないでしょうか。

ベアード・キャリコット（１９４１〜）

アメリカの哲学者。ノース・テキサス大学教授。１９７１年に、ウィスコンシン大学において世界で初めて環境倫理学の講座を開設し、その後の環境倫理学の流れに大きな影響を与えた。アルド・レオポルドの「土地倫理」の思想に着目し、その解釈モデルを形成した。90年代に発表した『地球の洞察』では、環境倫理学を「近代を超える思想」としてその意義を強調している。

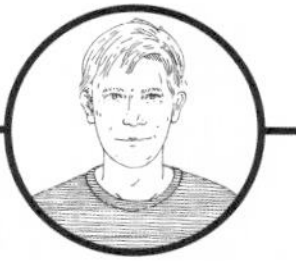

ビョルン・ロンボルグ（１９６５〜）

デンマークの政治経済学者。コペンハーゲン・ビジネススクールの兼任教授。２００１年に発表した英語版『環境危機をあおってはいけない──地球環境のホントの実態』は、環境保護をめぐって世界的な論争を巻き起こした。従来の誇張された環境危機論に対して、具体的で信頼のおけるデータを提示して、地球環境の実態を明らかにし、冷静な分析によって環境保護政策を検討している。

本章をより理解するための ブックガイド

自然の権利──環境倫理の文明史

ロデリック・F・ナッシュ著（2011年／松野弘訳／ミネルヴァ書房）

環境保護の思想が、アメリカでどのように始まり、学問的にどう整備されていったのか。こうしたことをバランスよく知るには、ナッシュのこの本を読むのが一番いい。それとともに、おそらく、環境保護思想の問題点も、見えてくるに違いない。

Environmental Pragmatism

Eric Katz, Andrew Light (eds.)（Routledge／1996）

70年代から展開されてきた環境倫理学に対して、90年代に大きな批判が沸き起こってきた。当時のプラグマティズムの流行と手を携えるように、環境保護論でもプラグマティズムの必要性が強調された。基本的な論文が多数含まれているが、いまだに邦訳がなく残念。

ホッケースティック幻想──「地球温暖化説」への異論

A.W.モントフォード著（2016年／桜井邦朋監修、青山洋訳／第三書館）

環境保護をめぐる問題は、1970年代以降国際政治の場でさかんに議論されてきた。国連の機関としてIPCCが組織され、定期的に重要なメッセージを発信するようになった。しかし、このメッセージはどこまで信頼がおけるものだろうか。一時期、強固に主張された「ホッケースティック曲線」をめぐって、その裏事情が科学的に検討されているので、地球温暖化に言及するときは、ぜひ目を通しておきたい。

かつて環境倫理学を学ぶとき、シュレーダー＝フレチェット編集の『環境の倫理』（晃洋書房、原著1981年）に収録された諸論文を読むことから入門した。近年、この論集に匹敵するのが、エリック・カッツ、アンドリュー・ライト編集の『環境プラグマティズム』である。残念なことに、この論集は邦訳がないので、日本では環境倫理学の理解が一昔前のままである。世界的には、環境問題を考えるとき、より具体的な仕方で論じられるようになっている。たとえば、国連ミレニアムエコシステム評価編集の『生態系サービスと人類の将来』（オーム社、原著2005年）を見ると、「生態系サービス」という経済学的視点が、重要な役割を果たしている。また、環境問題には、政治的な理解が欠かせないのに、日本ではこの分野の文献がきわめて少ない。地球温暖化問題は、国連のIPCCと密接に関係しているが、この組織の内実については、これまであまり注目されてこなかった。しかし、「クライメートゲート事件」以後、少しずつ、その実態が見え始めている。事件そのものについては、スティーブン・モシャー、トマス・フラーの『地球温暖化スキャンダル』（日本評論社、原著2010年）を読むといい。

第7章

リベラル・デモクラシーは終わるのか

本書は2016年の9月にダイヤモンド社より出版した単行書を、文庫版として新たに刊行するものです。タイトルからすれば、世界の「いま」を語るべきものですから、もしかしたら全面的に改訂するのがスジかもしれません。

そうなると、まったく新しい本を書くことになると思われます。そのため、ここでは旧版の内容はそのままにして、新たに世界の「いま」を考えるための章を加えることにしました。しかし、世界の「いま」として、いったい何を新たに論じたらいいのでしょうか。

旧版を出版して以後、とりわけ大きな出来事と言えるのは、三つに集約できるのではないでしょうか。時系列で示しますと、①**アメリカ政治の転換(トランプ現象)**、②**新型コロナウイルス感染症パンデミック**、③**ウクライナ戦争**となります。この三つは、いままで私たちが当然だと見なしてきた世界を、根底から変えていくように思われます。

その理由がどこにあるのか、この補章で考えてみたいと思います。この三つの出来事は、どのような意味で世界に大転換を引き起こすのでしょうか。

第1節 アメリカ政治の転換（2016年以後）

トランプ現象が意味するもの

まず、2016年に行なわれたアメリカの大統領選挙を考えてみましょう。この選挙では、当初は泡沫候補と見られていた共和党のドナルド・トランプが、予想を裏切って多くの支持を集め、大統領に就任しました。しかし、このどこがアメリカ政治の大転換なのでしょうか。

たとえば、その前のバラク・オバマが大統領に就任したとき、歴史的転換が語られました。というのも、アフリカ系アメリカ人として初めてのアメリカ大統領が誕生したのですから、大転換であることは間違いありません。しかし、オバマが大統領に就任したのは、1950年代から起こった公民権運動*の帰結と考えることができます。とすれば、アフリカ系アメリ

公民権運動
1950〜60年代にアメリカで起きた、黒人やマイノリティへの差別解消と、憲法が保障する権利適用を訴えた運動。

カ人の大統領が誕生するのは、時間の問題だったように思えます。この線上に、アメリカ初の女性大統領というシナリオも予想できます。これは歴史の進歩と言えます。

ところが、トランプの大統領就任は、いままでアメリカが進めてきたリベラル・デモクラシーという歴史の流れに、まったく逆行するように見えたのです。まだご記憶だと思いますが、トランプが女性蔑視や人種差別的な発言を悪びれずに繰り返していたのは、周知の事実でした。これは、リベラル・デモクラシーの国アメリカにとって、あってはならないことのように思えます。

それにもかかわらず、トランプのやり方を、アメリカの国民が熱烈に支持したわけです。だとすれば、そのとき起こっていたのは、トランプ個人というより、むしろアメリカという国全体の大きな地殻変動と見なすべきではないでしょうか。

たとえば、トランプがさかんに批判した「**PC（ポリティカル・コレクトネス）**」を取り上げてみましょう。これは、１９８０年代頃から一般的に使われるようになった言葉ですが、人種・宗教・性別などにかんして差別や偏見などを含まないように、表現や用語に注意することです。具体的には、「黒人」は「アフリカ系アメリカ人」に、「ビジネスマン」は「ビジネスパーソン」といった具合です。

最近は、日本でも同じような傾向がみられますので、ＰＣという言葉は別にして、事象としてはよく知られています。これは、差別を許さず、平等性を求めるリベラル・デモクラシーにとって、いわば要のように考えられてきました。

ところが、ＰＣのルールを守るのはけっこう煩雑で、面倒でもあります。以前だったら、人間や人類を意味するとき、「man（men）」を使っていたのが、ＰＣでは女性差別ということで、許されなくなります。こうした状況に対して、トランプは公然と異を唱えたのです。

この国にはＰＣなバカが多すぎる！
アメリカが抱える大きな問題は、ポリティカル・コレクトネスだと思う。

いままで、政治家にしても、エリートにしても、ＰＣを攻撃するどころ

PCとトランプ政治

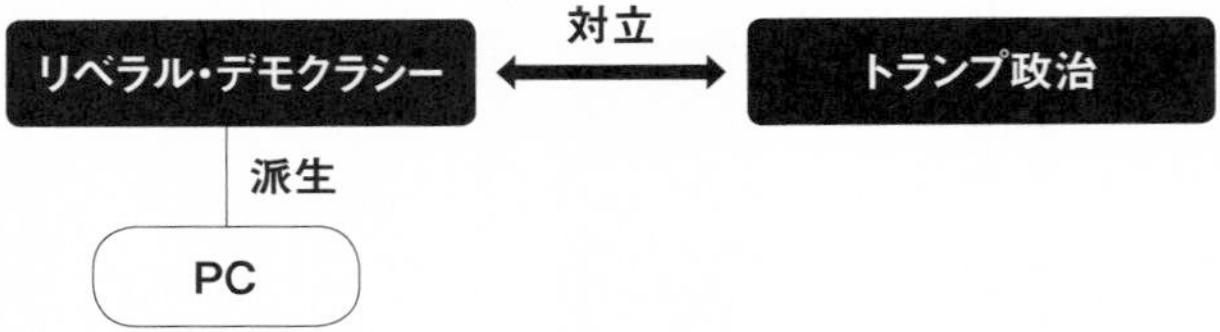

か、ＰＣ批判さえも注意深く避けてきました。「タブー視」してきたと言った方が適切かもしれません。内心ではＰＣの細かなルールに同意するわけではないとしても、あえて異議を唱えるのは得策ではない、と考えられたのです。ところが、トランプはこの壁を、あっさりと越えてしまったわけです。

　トランプが越えたこの壁を、ここでは「**リベラル・デモクラシー**」と呼ぶことにしましょう。そうすると、トランプによって何が始まったのか、理解できるのではないでしょうか。いままでアメリカが押し進めてきた「リベラル・デモクラシー」――これにトランプは異を唱えているわけです。

　つまり、これまで原理としてアメリカの政治方針であった「リベラル・デモクラシー」に対して、トランプは声高に批判したのです。しかも、その批判が多くのアメリカ国民によって受け入れられたのです。とすれば、これをアメリカ政治の大転換と呼んでも、決して過言ではありません。

しかし、ここでトランプが批判した「リベラル・デモクラシー」とは、いったいどんな意義があったのでしょうか。それを確認しておく必要があります。

リベラル・デモクラシーからの大転換

それを確認するには、歴史をすこし遡って、ベルリンの壁崩壊（1989年11月9日）に象徴される世界状況に目を移す必要があります。それについては、第４章でも触れていますが、その壁崩壊の直前に、政治学者の*フランシス・フクヤマは、いわば予言的な形で論文を発表しています。そのなかで、彼は共産主義崩壊後の世界について、次のように語っていました。

フランシス・フクヤマ　153ページ参照。

われわれが目撃しているのは、たんに冷戦が終わったことを表わしているだけではないし、戦後史の1ページが過ぎ去ったことを示しているだけでもない。むしろ歴史そのものの終わりを意味している。つまり、人類のイデオロギー的な進展は終局に達したのであり、欧米のリベラル・デモクラシーが人類の統治形態として究極のものであることを示しているのである。(1)

リベラル・デモクラシーはもともと、欧米社会の政治形態として長いあいだ採用されてきたのですが、共産主義圏の崩壊によって「**究極の統治形態**」とされたのです。フクヤマはそれを「**歴史の終わり**」と呼び、それに代わるオルタナティブは存在しない、と高らかに宣言しました。こうしたフクヤマの議論には、個々の論点に対していろいろ批判が寄せられました。しかし、その場合でも、リベラル・デモクラシーそのものの正当性は、ほとんど疑われませんでした。

ところが、リベラル・デモクラシーへの信頼は、今日ではすっかり失われているように見えます。たとえば、政治学者のヤシャ・モンク*は、『民主主義を救え！』において、次のような事例を報告しています。

ヤシャ・モンク
1982年生まれ。アメリカの政治学者。ジョンズ・ホプキンス大学国際関係研究所教授。邦訳書として『自己責任の時代』『民主主義を救え！』がある。

・アメリカの高齢者の3分の2は、デモクラシー国に生きることが非常に大事だと思う。ミレニアル世代〔1980年代生まれ〕では、この割合は3分の1にまで低下する。

・1995年には統治制度として軍事政権が好ましいとしていたのは16人に1人。2016年頃には、その割合は6人に1人にまで増えている。[2]

こうした事例から、モンクは現在の状況をこう説明しています。

四半世紀前まで、リベラル・デモクラシーに住む市民たちは自分たちの政府に満足しており、そのさまざまな制度を是認していた。それが現在、彼らはかつてないほど、これらに幻滅している。[3]

この説明を見ると、トランプがどうしてアメリカの大統領に就任できたのか、理解できるのではないでしょうか。アメリカ社会のなかで進行していたリベラル・デモクラシーへの不信――これに具体的な形を与えたのが、まさしくトランプだったのです。それまで「究極の統治形態」と見なされたリベラル・デモクラシーが、トランプの大統領就任とともに、あえなく潰え去りつつあるのです。

新反動主義の台頭

では、リベラル・デモクラシーが終わるとしたら、その次に、いったい何が始まったのでしょうか。それを理解するには、「リベラル・デモクラシー」を分解すると明らかになります。

もともと、「リベラル」と「デモクラシー」は、それぞれ起源が違っていて、容易に二つを結びつけることができなかったのですが、いままでいわばセットで語られてきました。ところが、その分離を宣言する人々が、アメリカで登場したのです。

たとえば、PayPal（ペイパル）の創業者で、「シリコンヴァレーの頂点

ピーター・ティール
1967年生まれ。90年代末にPayPalを共同創業して会長兼CEOに就任、その後売却。今もシリコンヴァレーで注目される起業家のひとり。

に君臨する」と言われるピーター・ティール*は、２００９年に発表した「リバタリアンの教育」というエッセイのなかで、「自由」と「デモクラシー」が両立しない、と明言しています。彼はスタンフォード大学時代に、フランス出身の哲学者ルネ・ジラール*のもとで哲学を学び、論文も書いています。そのティール思想の根本には、デモクラシーを拒否して、自由を擁護するリバタリアンの姿勢があります。その考えは、『ゼロ・トゥ・ワン』のなかでも、いかんなく表明されています。

デモクラシーを拒否し、自由を擁護する姿勢は、アメリカでは21世紀になってから、インターネットを通じて拡大しつつあります。この思想が、最近では「**新反動主義（Neo-reactionism）**」と呼ばれるようになりました。その代表者として、ティールの友人でシリコンヴァレーの起業家でもあるカーティス・ヤーヴィン*を挙げることができます。

彼はペンネームを使って、反デモクラシーの議論を次々と発表し、アメリカ社会に影響を与えたのです。こうした傾向が、トランプへの賛同者を生み出していったのは、よく知られています。

ヤーヴィンのブログに強く反応して、インターネット上で「暗黒の啓蒙」

ルネ・ジラール
２０１５年死去。フランス出身の文芸批評家で、アメリカのスタンフォード大学などで比較文学の教授を務めた。著作に『暴力と聖なるもの』などがある。

カーティス・ヤーヴィン
１９７３年生まれ。シリコンヴァレーの起業家であり、ソフトウェア・エンジニア。２０００年代中頃、「メンシウス・モールドバグ」という筆名で過激な議論を展開。

アメリカ政治の対立構図

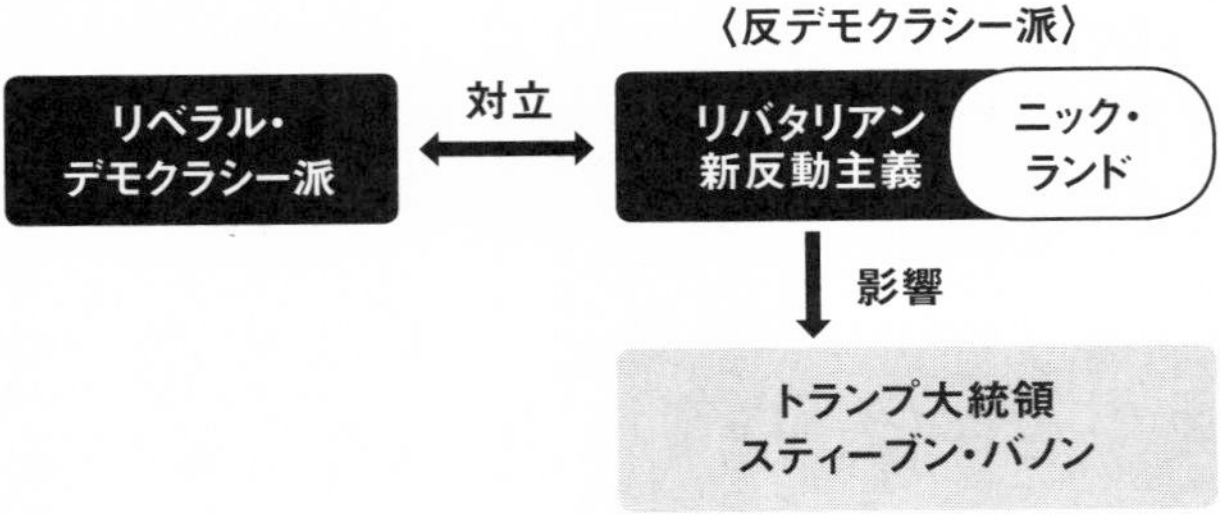

という連載記事を発表したのが、イギリス出身で中国在住の哲学者[*]ニック・ランドでした。彼は、西欧社会の原理とされたデモクラシーを「衆愚政治に他ならない」と断じ、その基礎になった「人間の平等性」に次のような批判を加えています。

> 人間は平等ではない、彼らは平等に育ちはしない。それぞれが目指す場所や成しとげることは平等ではない。そしてなにものも彼らを平等にすることなどありえない。[4]

こうしたランドの思想を信奉していたのが、まさにトランプ大統領の初期

ニック・ランド
1962年生まれ。哲学、SF、オカルティズム、クラブカルチャーなどの研究に従事。「新反動主義」に理論的枠組みを与えた。

の政権で参謀を務めたスティーブン・バノン*なのです。バノンは、「新反動主義」を信条とし、デモクラシーを批判するランドの「暗黒の啓蒙」思想から強く影響を受けていました。

こう考えると、**トランプの大統領就任が、歴史の大きな転換を示す**ことが分かるのではないでしょうか。トランプは、共産主義諸国の崩壊によって高らかに宣言された「リベラル・デモクラシー」の勝利が、いま終わりつつあることを白日のもとに晒したのです。

いままで、リベラル・デモクラシーの牙城であったアメリカにおいて、それを否定する現象が起こっています。たしかに、トランプ大統領自身は4年で任期を終えましたが、それを生み出した反デモクラシーの動きはなくなったわけではありません。この先、どこへ向かうのでしょうか。

スティーブン・バノン
1953年生まれ。トランプ元米大統領の政権で最初の首席戦略官を務めた。2022年、詐欺や資金洗浄（マネーロンダリング）の罪で起訴された。

第2節 新型コロナウイルス感染症パンデミック（2020年以後）

規律社会から管理社会へ

今度は、2019年末に発生し、年が明けてから世界的なパンデミックになった「新型コロナウイルス感染症（COVID-19）」を取り上げましょう。これは、言うまでもなく医療的な現象ではありますが、同時に社会そのものを大きく変えてしまうほどの、画期的な事件と見なすことができます。そのため、これを哲学的にどう理解するかは、きわめて重要な問題になってきます。

その意義を理解するために、やや遠回りのように見えますが、あらかじめミシェル・フーコー*の『監獄の誕生』の議論を確認する必要があります。フーコーの理論については、第2章でも述べていますので、くわしく繰り

ミシェル・フーコー 28ページ参照。

返すことはしませんが、ここでは一つだけ付け加えておきたいと思います。それは、フーコーが近代的な監視システムである「パノプティコン」を描くとき、念頭には感染症であるペストとの対応関係があったことです。たとえば、次のように語っています。

閉鎖され、細分され、各所で監視されるこの空間。（中略）権力は、階層秩序的な連続した図柄をもとに一様に行使され、たえず各個人は評定され検査されて、生存者・病者・死者にふりわけられる。（中略）ペストの蔓延に対応するのが秩序であって、それはすべての混乱を解明する機能をもつ。(5)

では、それ以外の社会はどうなっているのでしょうか。フーコーが語っているのは、近代以前の社会ですが、それを「ハンセン病」と対応づけています。

ハンセン病は排除の祭式をもたらし、その祭式は、〈大いなる閉じ込め〉のモデルおよびいわばその一般的形式を或る程度まで提供したのは事実だが、ペストのほうは規律・訓練の図式をもたらした[6]。

とすれば、近代以後については、どんな感染症が想定できるのでしょうか。ところが、当然のことながら（フーコーは１９８４年に亡くなっています）、近代以後の社会については何も語られていません。それを知るにはむしろ、ドゥルーズ*の管理社会論を参考にして考える必要があります。彼は次のように語っています。

私たちが「管理社会」の時代にさしかかったことはたしかで、いまの社会は厳密な意味で規律型とは呼べないものになりました[7]。

とはいえ、ドゥルーズがこう語るとき、フーコーのように感染症との対応は示していません。そこで、ドゥルーズが語っていない対応を、あえて問題にすることにしましょう。

そのとき、浮上してくるのが、おそらく新型コロナウイルス感染症ではないでしょうか。今日の観点から見ると、ドゥルーズの管理社会論は、新

ジル・ドゥルーズ
94ページ参照。

感染症と社会の関係

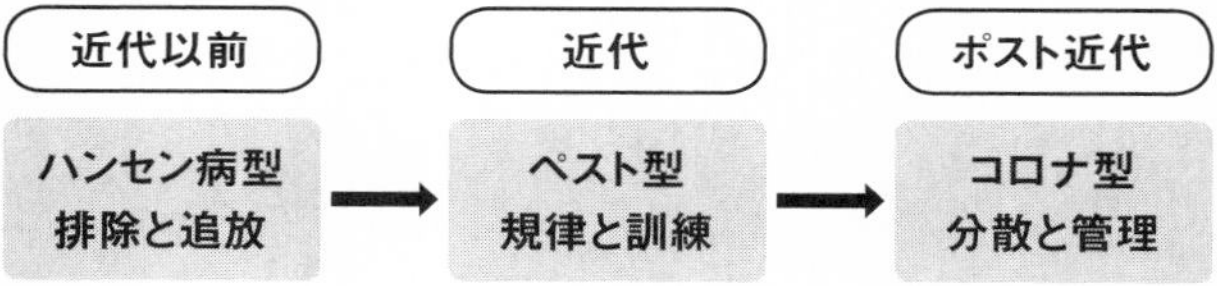

型コロナウイルス感染症と対応づけて理解するのが、もっとも適切であるように感じます。

　そこで、フーコーとドゥルーズの議論を参考としながら、感染症との対応を図式化してみましょう。

　これを見ると一目瞭然ですが、近代がペストに対応する形で規律と訓練の社会を形成したとすれば、ポスト近代の社会（現代社会）はコロナ型の社会を形成すると言えます。そのとき中核の技術となるのが、人々を分散させつつ管理する、デジタル・テクノロジーであるのは明らかでしょう。**ポスト近代の社会では、コンピュータとそのネットワークを使って、いつでもどこでも管理するデジタル技術が中心**となります。

　こうしたデジタル・テクノロジーを駆使することなくしては、コロナ・パンデミックに対処できないのではないでしょうか。しかし、社会の実際の対応はどうだったのでしょうか。

強権的な専制主義への移行？

新型コロナウイルス感染症が爆発的に流行したとき、その対策として世界はいったい何を行なったのでしょうか。

ご承知のように、スウェーデンをのぞいて、アメリカやイギリス、フランスやイタリアなどの欧米諸国では、非常事態を宣言して、強制的に都市封鎖（ロックダウン）を行なう、という方法をとりました。そのため、国民は自由をはじめとして、通常の権利が制限されることになったのです。もし、違反して外出すれば、処罰されました。これを「**非常事態型**」と呼んでおきます。

ところが、こうした「非常事態型」の対応に強く反発したのが、イタリアの哲学者**ジョルジョ・アガンベン**でした。彼によれば、新型コロナウイルス感染症は、通常のインフルエンザと変わらず、今回のような「非常事態型」をとることは、集団パニックに他ならないのです。アガンベンは、新型コロナウイルス感染症への対応を「健康教」と名づけ、次のように批判しています。

新宗教である健康教と、例外状態（非常事態）を用いる国家権力の接合から帰結する統治装置を、私たちは「バイオセキュリティ」と呼ぶことができる。おそらくこれは西洋史上、最も効果的な統治装置である。じつのところ、経験によって示されたのは、ひとたび**健康への脅威が問題になれば、人間たちは自由の制限を受け容れる用意があるらしい**ということである。そのような自由の制限が容認されうるものだとは、両大戦間期にも、全体主義的独裁下でも一度として想像されなかった。[8]

こうしてアガンベンは、新型コロナウイルス感染症対策によって進行しつつあるのが、「**市民的デモクラシーの終わり**」であり、「**新たな専制的な全体主義の始まり**」であると見なしています。

もともと、アガンベンは『ホモ・サケル』（1995年）などの著作で、

パンデミック後の世界

「例外状態（非常事態）」の日常化に批判的な眼差しを向けていました。そのため、感染症のもとで断行された専制的な強権主義を、彼はその典型として理解したのです。

　しかしながら、欧米諸国が採用した非常事態型の対応は、国民や大手のマスコミ、さらにはアガンベン以外の哲学者によっても、おおむね支持されていました。たとえば、アガンベンの長年の友人であるジャン＝リュック・ナンシーでさえも、こう語っていました。「彼（アガンベン）の意見に従っていたら、おそらく私はすぐに死んでいただろう。ひとは間違えるものだ[9]。」

　こうして、アガンベンのような批判はきわめて少数意見であり、メディアから排除されたのです。しかし、現時点（2022年7月）からふり返って考えたとき、アガンベンの議論は決して排除すべきものではなかったのではないでしょうか。アガンベンにとって、コロナ・パンデミックは市民的なデモクラシーから専制的な全体主義への転換を示すものなのです。ここでもまた、「デモクラシーの終わり」が語られています。

コロナ・パンデミックからコミュニズムへ

次に取り上げたいのは、アメリカの哲学者**ジュディス・バトラー**の議論です。彼女は、ロックダウンを批判するかどうかではなく、その根底にある資本主義そのものに目を向けるのです。バトラーは、1990年に『ジェンダー・トラブル』を出版して以来、フェミニストとしてよく知られていますが、基本的な姿勢となっているのは社会的弱者への連帯です。

そして、今回の感染症に対するバトラーの思想も、同じ視点で貫かれています。それを理解するため、ウェブ上でアクセスできる「資本主義には限界がある」という論稿を見てみましょう。

彼女によれば、そもそも「非常事態型」で都市封鎖したところで、社会的弱者を救済できるかどうか、疑わしいのです。というのも、ロックダウンしても、家族のないホームレスや短期滞在者などは保護されないからです。また、経済を再開して、「通常のビジネス」に戻そうとすることは、とりわけ高齢者やホームレスなどの社会的弱者にリスクをもたらす、と言われます。「社会的経済的不平等は、ウイルスが差別的に働くのを確実にする」わけです。

こうして、感染症に対して、ロックダウンするにしても通常の経済活動に戻すにしても、**人種差別が高揚し、社会的弱者が危険になるのに対して、資本主義による搾取は強まる**ことになるのです。では、バトラーは何を求めるのでしょうか。2020年のアメリカ大統領予備選挙のなかで、民主党のサンダースやウォーレンを支持しながら、社会民主主義的方向に歩み出すことを求め、次のように述べています。

> 普遍的で公共的な健康という提案は、アメリカにおいて社会主義の想像力を再び活性化した。（中略）その理想は、今や（中略）大統領選挙といった社会運動のなかで生き続けなくてはならない。[10]

今となっては、バトラーの期待とは異なる方向に事態が進んだのですが、彼女の感染症に対する態度ははっきりしています。「**社会主義的想像力**」を活性化して、感染症に向き合うことが重要なのです。

こうしたバトラーの問題意識を共有しながら、より徹底したコミュニズムへの道を提案したのが、現代思想界のスーパースター、スラヴォイ・ジジェク*です。あらためて紹介するまでもありませんが、ジジェクはフーコーやデリダ後の世代として、現代思想界を牽引した哲学者です。旧東欧圏（スロベニア）の哲学者ですが、その議論は哲学史からポスト構造主義にまで及んでいます。しかし、彼の思想の中心にあるのは、あくまでも「コミュニズム」です。しかも、注目すべきは、旧ソ連や中国のような独裁的「共産主義」とは区別されていることです。

そのジジェクが、今回の感染症に対して予想通り提唱したのが、まさしく「コミュニズム」なのです。ジジェクは次のように語っています。

古いスタイルの共産主義ではなく、**必要に応じて経済を管理・規制でき、**

スラヴォイ・ジジェク
108ページ参照。

国民国家の主権さえも制限できる一種の世界的な組織のことだ。そのような組織を作ることができるのは戦時中だけであり、我々は今まさに、実質的に医療戦争の状況に近づきつつある。[11]

こうしたジジェクの提案そのものは、それまでの言動から予想できたものですが、世の中ではあまり評価されませんでした。「コロナウイルスの流行によって共産主義が新たに息を吹き返すかもしれないと私が示唆した時、この主張は、案の定、一笑に付された。[12]」

たしかに、中国のように、専制主義的な共産主義をとれば、感染症に対する有効な政策が打ち出せるかもしれません。じっさい、COVID-19が流行した初期の頃、中国によって採用された徹底的な「ゼロコロナ」対策は、功を奏していました。その後、デジタル・テクノロジーを駆使した徹底した情報管理によって、かつての生活が戻っています。しかし、こうした共産主義を、ジジェクがめざすわけではありません。

西欧諸国や米国ではおそらく不利益を考えて許容できないような措置を、

中国は導入した。だが、単刀直入に言えば、あらゆる形態の探知やモデリングを「監視」だと、積極的な統治を「社会管理」だと、反射的に解釈することは誤りである。我々には、介入を表す別のもっと繊細な語彙が必要である。(13)

このように語るとき、ジジェクは中国がとった反デモクラシー的方法について、効果としては認めつつも、社会的な政策としては許容できないと考えています。つまり、共産主義をめざすべきだとしても、デモクラシーに反するような政策は求めないのです。だからこそ、彼は「すべてはこの『別の語彙』にかかっている」と述べるのです。

しかしながら、そもそも「別の語彙」は、ジジェクが求める共産主義という枠のうちで可能なのでしょうか。そもそも、コロナ・パンデミックに対処するため、共産主義が必要なのでしょうか。また、この感染症も、時がたつにつれて変異を繰り返し、2022年になって「オミクロン株」が発生し、その病相も大きく変わりました。そのため、最初の頃の「ゼロコロナ」政策が大きく変わり始めています。

科学にもとづく民主的な管理は可能か？

そこで、今度は、「共産主義」ではなく、まったく違った形の社会的な管理を提唱している、イスラエルの歴史学者ユヴァル・ノア・ハラリ*の議論を確認しておきましょう。彼については、世界的なベストセラーになった『サピエンス全史』や『ホモ・デウス』によって、日本でもよく知られています。今日ではさらに、世界のオピニオン・リーダーとして、積極的に発言しています。

今回のコロナ・パンデミックについても、彼はその歴史観にもとづいて、独自の意見を提示しています。それを確認するため、感染症発生の早い時期に発表した、二つの記事を取り扱うことにします。

まず、基本的な立脚点についていえば、ハラリは何よりもまず、感染症に対する科学的情報の重要性を強調しています。たとえば、次のように語るとき、彼の立場は明確に掴むことができます。

20世紀には、世界中の科学者や医師や看護師が情報を共有し、力を合わせ

ユヴァル・ノア・ハラリ
1976年生まれ。イスラエルの歴史学者。エルサレムのヘブライ大学で教鞭をとる。著書『サピエンス全史』が世界的ベストセラーとなる。

ることで、病気の流行の背後にあるメカニズムと、大流行に対抗する手段の両方を首尾よく突き止めた。進化論は、新しい病気が発生したり、昔からある病気が毒性を増したりする理由や仕組みを明らかにした。遺伝学のおかげで、現代の科学者たちは病原体自体の「取扱説明書」を調べることができるようになった。中世の人々が、黒死病の原因をついに発見できなかったのに対して、科学者たちはわずか2週間で新型コロナウイルスを見つけ、ゲノムの配列解析を行ない、感染者を確認する、信頼性の高い検査を開発することができた⑭。

それでは、こうした科学的な観点に立って、ハラリはどの方向へ進むことを提唱するのでしょうか。彼によれば、「感染症の流行を食い止めるためには、各国の全国民が特定の指針に従わなくてはならない。これを達成する主な方法は二つある。」そのうちの一つが、政府が国民を監視することです。

一つは、政府が国民を監視し、規則に違反する者を罰するという方法だ。

今日、人類の歴史上初めて、テクノロジーを使ってあらゆる人を常時監視することが可能になった。（中略）今や各国政府は、生身のスパイの代わりに、至る所に設置されたセンサーと、高性能のアルゴリズムに頼ることができる。(15)

こうした監視技術は、ジジェクも批判した中国においてとくに発達しています。たしかに、有効性という点ではハラリも認めるのですが、しかし、それが全体主義的になることをハラリは危惧するのです。

そのため、違った例として、韓国や台湾やシンガポールなどを念頭に置きながら、こう述べるのです。「全体主義的な監視政治体制を打ち立てなくても、国民の権利を拡大することによって自らの健康を守り、新型コロナウイルス感染症の流行に終止符を打つ道を選択できる。」これが、感染症の流行をくい止めるもう一つの方法です。こうして、ハラリは、監視技術の二つの方法の違いを明確にして、次のように述べています。

有益な指針に人々を従わせる方法は、中央集権化されたモニタリングと厳しい処罰だけではない。**国民は、科学的な事実を伝えられているとき、そし**

感染症対策の特徴

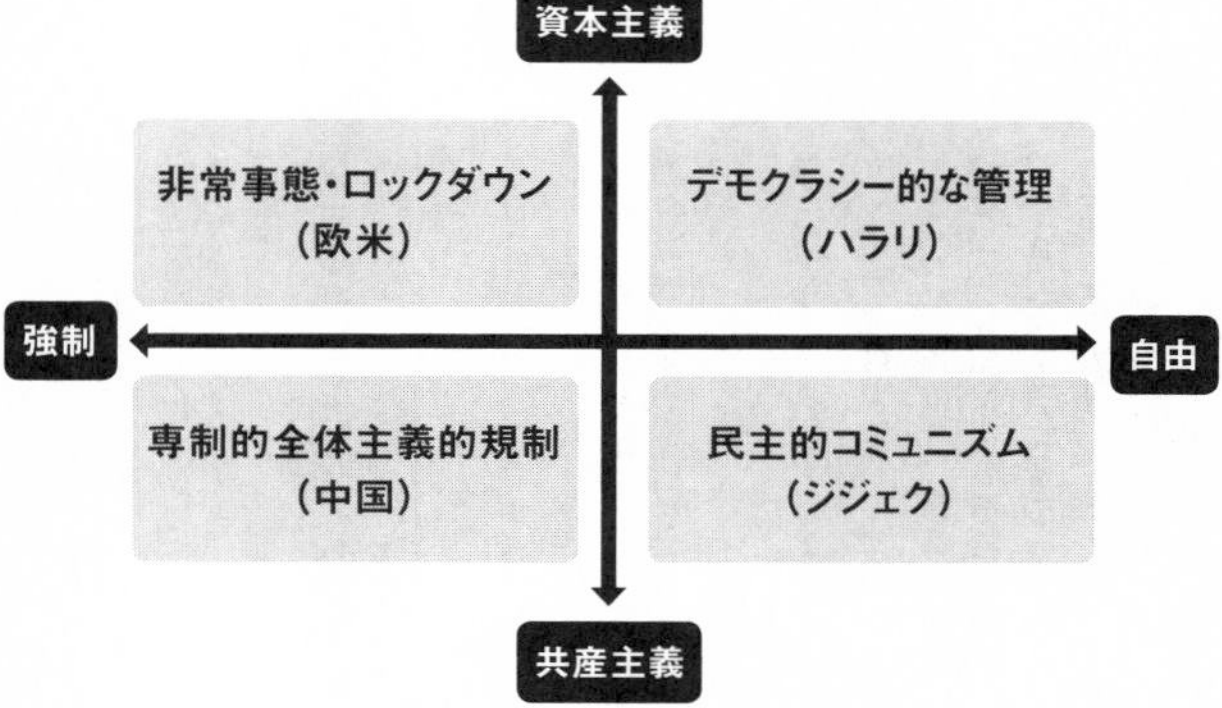

て、公的機関がそうした事実を伝えてくれていると信頼しているとき、ビッグ・ブラザーに見張られていなくてもなお、**正しい行動を取ることができる。**自発的で情報に通じている国民は、厳しい規制を受けている無知な国民よりも、たいてい格段に強力で効果的だ[16]

ここで、ハラリが推奨するこの二番目の方法を、**デモクラシー的な管理**と呼ぶことにしましょう。情報テクノロジーを利用して国民を監視するとしても、全体主義的な規制とデモクラシー的な管理とでは、国民にとって大きな違いが出てくるわけです。
最後に、いままで見てきた感染症に対する政策について、それぞれの特徴が分かるように図示することにしましょう（399ページ参照）。

ジョルジョ・アガンベン（1942年〜）

イタリアの哲学者。ヴェローナ大学やヴェネツィア建築大学、ズヴィッツェラ・イタリアーナ大学メンドリジオ建築アカデミーで教鞭をとった。1995年から2015年までの間に9冊刊行された『ホモ・サケル』シリーズでは、ローマ帝国の時代を現代の政治に重ねて読み解いた。近著に、『身体の使用――脱構成的可能態の理論のために』『スタシス――政治的パラダイムとしての内戦』『私たちはどこにいるのか？』などがある。

ジュディス・バトラー（1956年〜）

アメリカの哲学者。イェール大学にて博士の学位を取得。ジョンズ・ホプキンス大学などで教鞭をとった後、カリフォルニア大学バークレー校修辞学・比較文学科教授に就任。現代フェミニズム思想を代表するひとりであり、著書に『ジェンダー・トラブル』『問題＝物質（マター）となる身体』がある。また、政治哲学から現象学まで幅広い分野で活躍しており、非暴力のマニフェストとする『非暴力の力』などの著作もある。自身がレズビアンであることを公表している。

第3節 ウクライナ戦争（2022年以降）

ウクライナはいま独裁政権!?

コロナ・パンデミックが完全終息しないうちに、もう一つの新たな危機が、2022年に始まりました。ロシアによるウクライナへの侵攻です。2月に戦闘が始まってからは、連日このニュースだけが長い時間を使って報道されました。これが報道されること自体は当然のことですが、その内容があまりにも一面的で、どのメディアも同じ内容ばかりを繰り返していました。

具体的に言えば、善（ウクライナ）と悪（ロシア）が最初から決定され、両国の大統領の個人的な側面ばかりに話題が集中しました。一方のプーチン大統領は、領土欲に燃えた独裁者のように扱われ、他方のゼレンスキー大統領は孤軍奮闘する英雄的な人物として描かれました。そのため、このイメージに異を唱えると、集中攻撃を受けてしまう状況でした。

しかし、ウクライナ侵攻が始まって時間も流れ、頭を冷静にして出来事を見直すと、紋切型の善悪二元論の物語ではなく、もっと違った観点から理解すべきことが分かります。そのためにまず、ウクライナの学者自身がウクライナ国内の状況をどう理解しているか、確認しておきます。

ここで取り上げるのは、オルガ・ベイシャですが、簡単に経歴を示しておくと、ウクライナでジャーナリスト兼編集者として活動していましたが、２００２年にはコロラド州立大学で修士号、２０１２年にはコロラド大学で博士号を取得しています。彼女は２０２１年の12月に、『ウクライナのデモクラシー、ポピュリズム、ネオリベラリズム――仮想と現実の境界で』（Democracy, Populism, and Neoliberalism in Ukrane: On the Fringes of the Virtual and the Real）を出版しています。

さて、彼女が最近（２０２２年4月28日号）、アメリカの独立系ニュースメディア『ザ・グレーゾーン（The Grayzone）』においてインタビューを受けたのですが、そのときの記事が掲載されています。タイトルは、「ほんとうのゼレンスキー：有名ポピュリストから不人気なピノチェトスタイルのネオリベラルへ」です。ネットですぐに読めますので、一読をおすすめします。

その記事によれば、大統領に就任した2019年当時は、平均的なアメリカ人にはほとんど知られていなかった、と言われます。「ところが、ロシアが2022年2月24日にウクライナを攻撃すると、とつぜんアメリカのメディアで、Aランクの有名人へと変わってしまった。」そのときのイメージを、次のように語っていますが、日本も同じような状況でした。

アメリカでニュースを見てる人たちは、おそらく手に負えないような悲劇的な出来事に襲われ、最終的には同情を集めるように見える男の映像に打ちのめされたのです。そのイメージは、カーキ色の服を着た、疲れを知らないヒーローが、小さなデモクラシー国家を統治し、東からの独裁の蛮行をたった一人でくい止めるというイメージに発展するのに時間はかかりませんでした。[17]

ベイシャによれば、ウクライナは以前から、3つのグループに分かれていました。一つはネオリベラリズムを推進したいグループで、欧米の国際機関の支配のもとでウクライナを統治することです。これを「**リベラル派**」と呼んでおきます。じっさい、アメリカをはじめ多くの外国人が、ウクライナの重要な閣僚に就任しています。

もう一つは、ウクライナのナショナリストグループであり、こちらは過激なテロ行為や軍事的な行動を組織してきました。ロシアがしばしば「ネオナチ」と呼んだのは、このグループに該当しています。これを「**ナショナリスト派**」と呼びましょう。このグループは、「ミロトボレッツ」と呼ばれるウェブサイトに掲載された、いわゆる「危険人物」の個人情報をもとに攻撃を加えたりして、国民から怖れられてきました。公開処刑のようなものでしょうか。

さらに、ウクライナの東部を占めるロシア語を話す人々が第3のグループになります。この人々は、2014年のマイダン革命*に対して、多くが支持しなかったのです。この人々を「**ロシア派**」と呼んでおきます。そうすると、2022年のウクライナ侵攻以前から、次の図のようなグループ

マイダン革命
2014年、ウクライナで起きた民主化運動。親欧米派を志向する民衆の激しい抗議によって、親ロシア派のヤヌコヴィッチ政権が崩壊した。

ウクライナ国内の3グループ

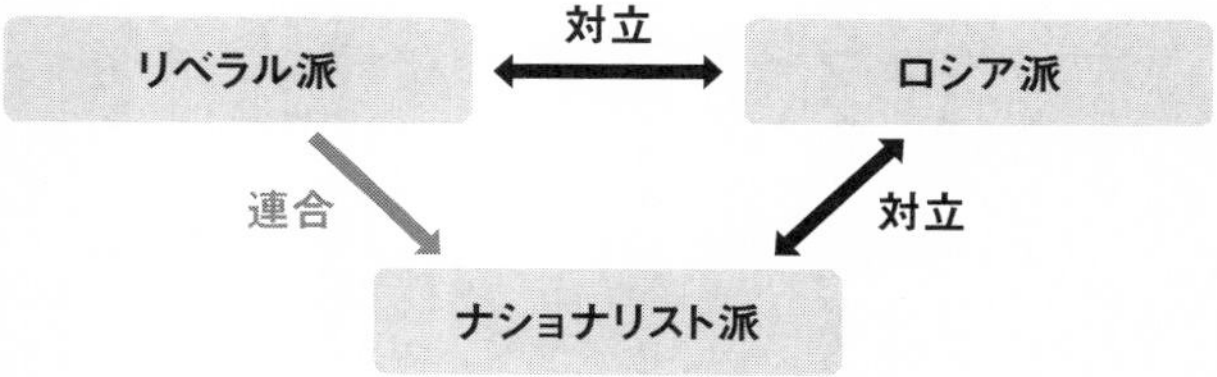

が対立していたわけです。
　ゼレンスキーが大統領に就任するときは、新自由主義を推進するリベラル派として登場したのですが、その後ナショナリスト派と結びつくことになります。こうして、「**リベラル派＝ナショナリスト派**」の連合が出来上がり、国内のロシア派と鋭く対立することになりました。
　問題なのは、この過程で、ウクライナがメディアや政治家などに対して、言論と報道の統制を行なったことです。政権に反対するメディアは閉鎖され、政治的ライバルがことごとく排除されていったのです。しかも、これが、ロシアによる侵攻の一年前に起こっていたことです。そのため、ベイシャは次のように述べています。

私の考えでは、ゼレンスキーは、彼が権力を握った直後に形成され始めた、彼の政権内の独裁的傾向を強化するために、この〔ロシアとの〕戦争を利用しているにすぎません。つまり、議会を支配し、大衆の気分を無視して、ネオリベラルな改革をゴム印で押すための党機械を作り出したときに形成された独裁傾向です。(18)

こうした観点から、ウクライナ情勢を眺めてみれば、日本のメディアが伝えるのとはまったく違った世界が広がるのはないでしょうか。

ウクライナ戦争は、ロシアに対するアメリカの戦争?

導入はこれくらいにして、ウクライナ戦争をどう理解したらいいのか、国際政治空間のなかで考えてみましょう。このとき、ポイントになるのは、現在紛争中のロシアとウクライナの関係を、いつから始めるかにあります。

ロシアとウクライナの関係

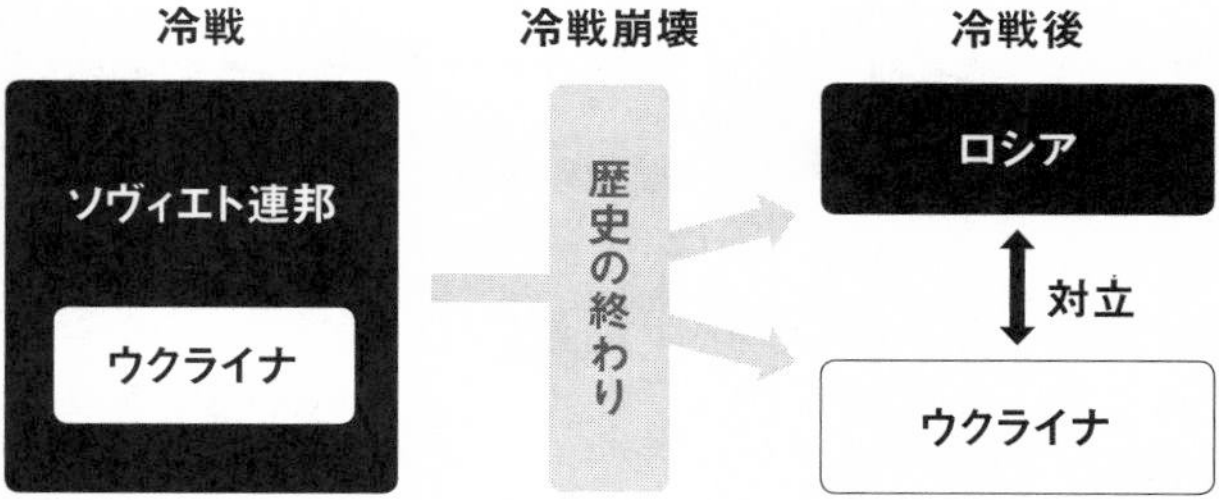

たとえば、第二次世界大戦中の頃から、あるいはその前のロシア革命の頃から、あるいはもっと前から考えることもできます。もともと、両者のあいだには、古くから複雑な関係があり、どの時点を起点とするかによって、おそらく議論が違ってきます。

どの時点から始めても異論は出てきますが、ここでは一応、ソヴィエト連邦が崩壊し、ウクライナが共和国として独立した時期を出発点にとることにします。この崩壊について、フランシス・フクヤマが「歴史の終わり」と呼んだことは、すでに確認しました。

それに先立つ時期を確認しておけば、冷戦の時代には、西欧陣営のＮＡ

西側と東側の軍事的構図

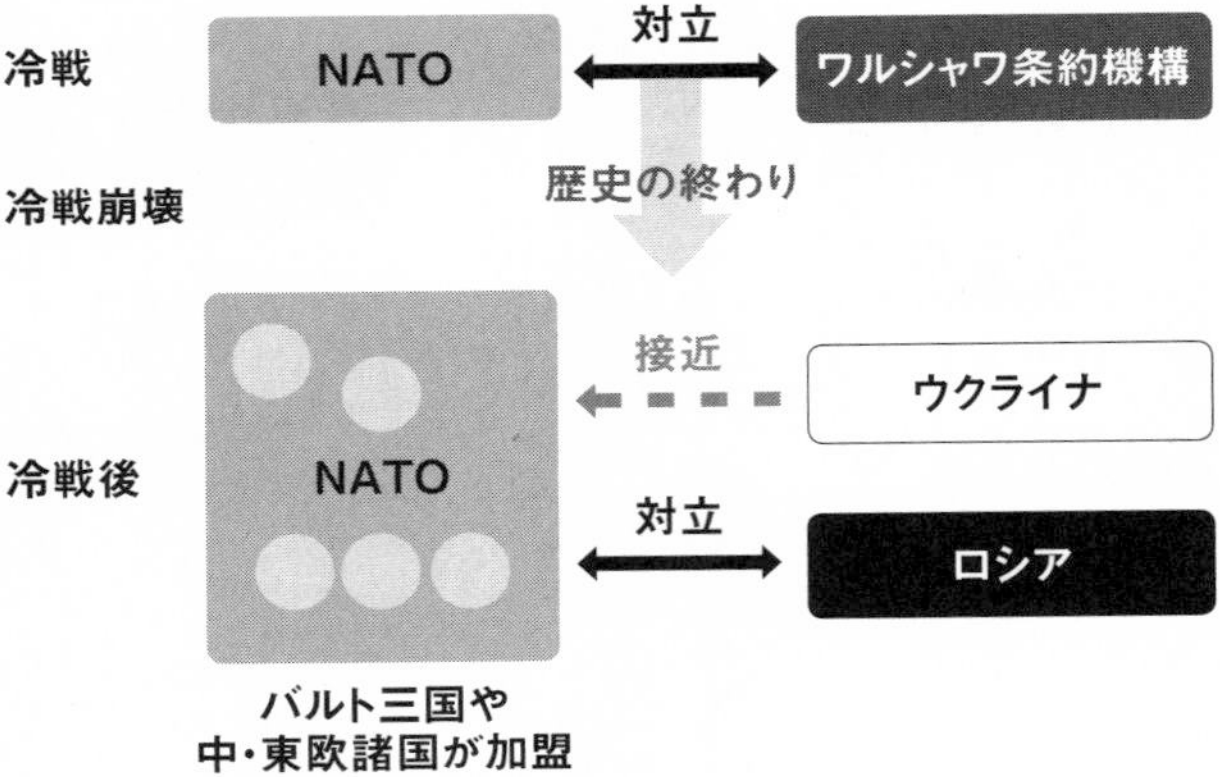

TOと東欧陣営のワルシャワ条約機構が軍事的に対峙していました。しかし、ソヴィエト連邦が崩壊するとともに、同盟関係を結んでいた東欧諸国が分離し、1991年にはワルシャワ条約機構も廃止されました。それに対して、西欧陣営のNATOの方は拡大政策をとり続け、かつてソヴィエト連邦と同盟関係にあった東欧諸国も、NATOに加盟するようになったのです。

こうしたことを念頭に置

いたうえで、アメリカの政治学者ジョン・ミアシャイマー*が語った次の文章を読むと、ウクライナ危機の原因が見えてきます。

そもそも今回の危機をもたらしたのは北大西洋条約機構（NATO）だ。NATOが欧州連合（EU）をロシアの玄関先まで広げようとしたことが発端となった。ロシアがこれまで繰り返し、ウクライナがロシアの影響下から離れて、西側の一部に組み込まれるような事態を決して許さないことをはっきり示してきた。今回の危機は、NATOがこうしたロシアの主張に耳を貸さなかったことから生じた。

にもかかわらず、米国とEUは危機が広がり続ける現在でも、ウクライナを西側に組み込もうとする政策を固持している。そして、これを許す気がまったくないロシアは、経済から政治に至るまで、あらゆる手段を用いてウクライナを罰し、西側の一員になって反ロシア政策に転じることがいかに大きな代償を伴うかを見せつけようとしている。(19)

ちなみにこの発言は、2014年のものですが、今でもそのまま妥当す

ジョン・ミアシャイマー
1947年生まれ。アメリカの政治学者。シカゴ大学教授。2006年、『イスラエル・ロビーとアメリカの外交政策』が世界的ベストセラーになる（スティーブン・ウォルトとの共著）。

ることが分かります。そのため、彼はほぼ同じ議論を、2022年3月にも、「エコノミスト」誌で展開しています。このとき、確認したいのは、ロシアがウクライナに侵攻した原因がどこにあるか、という点です。

では、ロシアがウクライナに侵攻したとき、どんな思想的背景があるのでしょうか。というのも、これには、たんに軍事的な理由だけでなく、哲学的な理由もあるからです。

「歴史の終わり」の終わりと「第4の政治理論」

誤解のないように言い添えておきますが、ウクライナ侵攻の思想的背景とか哲学的理由といっても、それを道徳的に正当化しようというわけではありません。また、いまから述べることが、直接的な引き金になって、プーチンがウクライナ侵攻に踏み切った、というわけでもありません。

ところが、ロシアの現代思想には、今回のウクライナ侵攻とつながるような哲学的な議論があるのです。ここで取り上げたいのは、**アレクサンドル・ドゥーギン**の『**第4の政治理論**』（2012年英語版）です。彼の思

ドゥーギンの政治理論

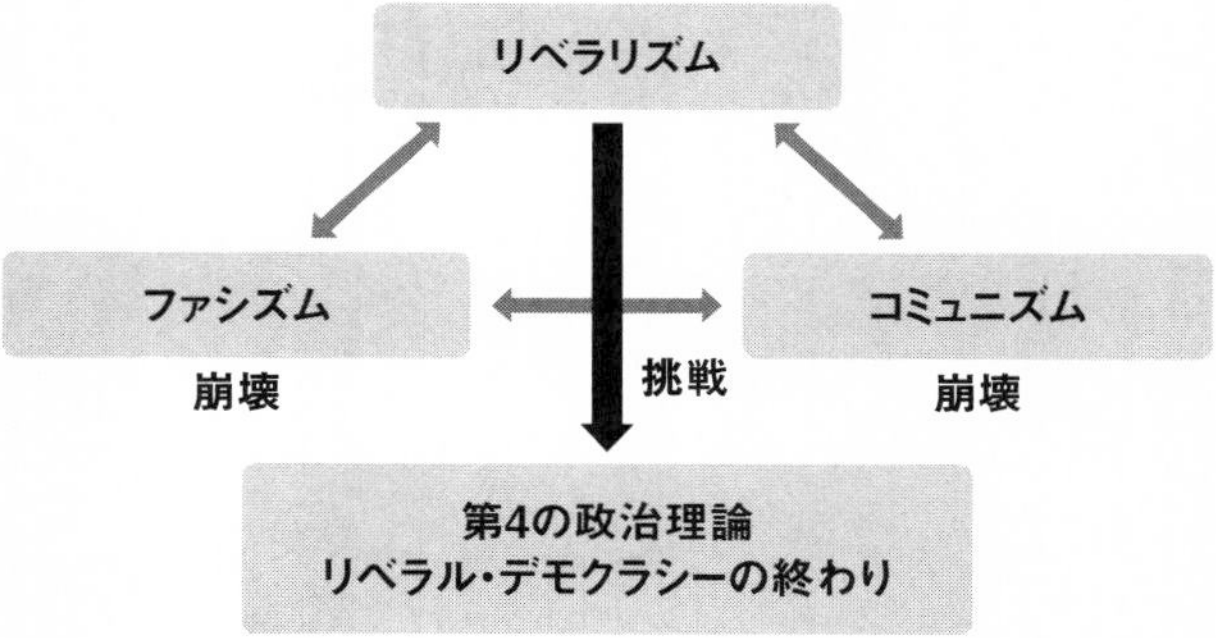

想は日本ではほとんど紹介されていませんが、クレムリンにも影響を与えていると言われています。

そこで、クレムリンとの関係は別にして、現代ロシアの哲学を知るうえでも、少し見ておきたいと思います。それを確認すれば、今回のウクライナ侵攻の意味についても、理解できるのではないでしょうか。

まず、タイトルから確認しておくと、ドゥーギンによると、政治思想として20世紀には三つのものがあったとされます。一つは欧米のリベラリズム、二つ目がソ連の共産主義、三つ目が独伊のファシズムです。このうち、共産主義とファシズムは、リベラリズムと対立し、消えていきました。そして唯一残ったのが、リベラリズムだったのです。これを、フクヤマが「歴史の終わり」と呼びました。

ドゥーギンは、20世紀において唯一残った欧米のリベラル・デモクラシーの覇権に対して戦いを挑み、第4の政治思想を提唱しようとするのです。それがロシアの場合には、「**ユーラシア主義**」*と呼ばれます。もっとも、これはロシアだけではありません。欧米以外の地域で、それぞれの民族や文化の違いに応じて、独自の文明圏を創造していくことを意図しています。ドゥーギンとしては、フクヤマが想定したような欧米の一極中心的なリベラル・デモクラシーではなく、多極的な世界を構想するのです。

こうした第4の政治理論の考えからすると、今回のウクライナ問題は、NATO（欧米）による一極覇権主義的なリベラル・デモクラシーの拡大に対して、非欧米地域の多極主義的な抵抗と見なすことができます。プーチンの思惑がどこにあるかは別にして、第4の政治理論から言えば、リベラル・デモクラシーの一極主義に対する多極主義的反応であるのは確かです。たとえば、「一極性の悪」と題して、ドゥーギンは次のように述べて

ユーラシア主義
ロシアは「歴史的、地政学的に独自の遺産と権益をもち、他の国々とは違う発展の道と使命がある」というロシア中心主義の思想。

います。

現代世界は一極的である。グローバルな西欧がその中心であり、アメリカがその核となっている。この種の一極性は、地政学的にもイデオロギー的にも特徴がある。（中略）誰が正しく誰が間違いか、また誰が処罰されるべきで誰が処罰されるべきでないかを決定するのがただ一つの権力しかない時には、グローバルな独裁制の形式があるのである。これは受け入れられない。[20]

これを見れば、欧米を中心にした一極的な世界（歴史の終わり）に対して、ユーラシア主義に基づく多極的な世界の構想が強力に主張されているのは明らかでしょう。ウクライナ情勢がどこへ向かうのかは、現時点では分かりませんが、欧米を中心にした「リベラル・デモクラシー」が挑戦を受けているのは間違いありません。

とすれば、今回のウクライナ戦争は、まさに「リベラル・デモクラシー」の終わりになるかもしれません。

アレクサンドル・ドゥーギン（1962年〜）

ロシアの哲学者、政治思想家。資本主義、個人主義、グローバリゼーションなど、西欧諸国のリベラルな価値を強く批判し、ロシアへの同化に抵抗するウクライナへ嫌悪感を示していた。「プーチンの頭脳」とも言われ、プーチン体制に影響力をもつ人物、過激なロシアナショナリズムの代表的思想家のひとりとされている。2022年8月、モスクワ近郊での自動車の爆発により娘を亡くした。

本章をより
理解するための **ブックガイド**

暗黒の啓蒙書

ニック・ランド著（2020年/五井健太郎訳/講談社）

ニック・ランドはイギリスの哲学者で、21世紀になって流行化した思弁的実在論や加速主義の源流と目されている。一時期、消息が不明だったが、2010年代になって中国の上海からブログ記事（本書）を発表し、アメリカの新反動主義に大きな影響を与えた。また、彼の主張は、トランプが大統領に就任することに一役かった、とも言われている。

私たちはどこにいるのか？

ジョルジョ・アガンベン著（2021年/高桑和巳訳/青土社）

ポスト構造主義以後、現代思想を牽引すると見なされたのが、イタリア思想である。アガンベンは、フランスやドイツの現代思想を継承しながら、「ホモ・サケル」プロジェクトを構想し、重要な著作を次々と発表してきた。その彼が、2020年に起こったコロナ・パンデミックに際して、政府の専制主義を厳しく批判。その過激さは一時期、陰謀論の扱いを受け、長年の友人たちとも袂を分かつことになった。そのときの問題作が本書である。

The Fourth Political Theory

Alexander Dugin（Trs.Mark Sleboda&Michael Millerman/Arktos 2012）

ロシアの現代思想は日本ではほとんど紹介されず、現在でもあまり知られていない。それでも、2022年にロシアがウクライナに侵攻することによって、プーチン大統領の政策を理解するため、少しずつ議論されるようになった。ただし、ドゥーギン本人の著作はまだ翻訳されていないので、英訳版の本書が入門的には好都合である。これを読むと、今日のウクライナ戦争の背景が理解できるだろう。

「リベラル・デモクラシーが終わるのか？」については、最近、雨後の筍のように本が出ている。たとえば、イワン・クラステフとスティーヴン・ホームズの『模倣の罠』（中央公論新社）やスティーブン・レビツキーとダニエル・ジブラットの『民主主義の死に方』（新潮社）を読むとよく分かる。これについては、「歴史の終わり」を提唱したフランシス・フクヤマの近頃のインタビュー本『「歴史の終わり」の後で』（中央公論新社）を見るのがいい。もともとフクヤマに批判的だったハンチントンの『分断されるアメリカ』（集英社文庫）は、21世紀におけるアメリカを知る上で必読である。コロナ・パンデミックについては、ジジェクやハラリが緊急本を出しているが、アガンベンとともにその友人であるジャン＝リュック・ナンシーの『あまりに人間的なウイルス』（勁草書房）を読んでおきたい。ロシア現代思想については、『ロシア現代思想Ⅰ、Ⅱ』（ゲンロン6/7）がとても参考になる。またウクライナ問題の淵源には、地政学の問題があるが、それについては古典的な著作である『マッキンダーの地政学』（原書房）を読んでおくといい。

おわりに

本書の企画の話を頂いたのは、昨年（２０１５年）の5月末だったと記憶しています。ちょうどその頃、世間では文科省による「文系学部廃止」のことが話題になり始めていました。そんな時期に、現代をテーマとする哲学の本について打診されましたので、実のところ一種の驚きがありました。「儲からない文系」と言われ、その中でも、とりわけ「役に立たない」代表とされがちな「哲学」を、どうして出版するのか、不思議だったのです。

このような事情でしたので、ためらいもありましたが、私はいつものように、今回の企画に取り組んでみることにしました。儲かる・儲からない、役に立つ・役に立たない、ということは、誰が判断し、どういう基準・範囲で考えるかによって変わってきます。ですので、その点には深入りしないとしても、哲学が現代に生きる人々（同時代人）にとって必須であることは、自信をもって言えます。本書のどの内容も、現代の私たちに否応なくかかわってくる問題です。学生であれ、社会人であれ、中高年であれ、すべての人にとって、現代がどのような時代なのか、どこへ向かって進んでいるのかは、コモンセンス（共有知）として知っておく必要があると思います。

とりわけ、現代のように歴史的に大きな転換点を迎え、従来の常識がすっかり通用しなくなって、新たな発想が求められている状況では、今何が起こっているのか、根本から考え直すことが求められています。そして、この作業に取り組んでいるのが、哲学に他なりません。具体的な状況に没頭しているときはなかなか気づきませんが、哲学のように、一時そこから離れて、全体をあらためて捉え直すとき、物事の本質が見えてくるのではないでしょうか。

本書を執筆するに際して、私はいずれかの立場に与して、その観点から主張を押しつけるような書き方をしていません。今日のような転換期では、正しい立場が確定しているわけではなく、むしろ多様な見解が提起されなくてはなりません。こうした状況のために、私は、それぞれの問題に対して、異なる見方を提示するように努めました。さまざまな主張に対して、賛成・反対いろいろ意見があると思いますが、ここではそうした多様性の事実を、まずは知っていただきたいと思います。性急に一つの主張に収斂させるのではなく、自分とは考えが違っていても、他の理解可能性があることを了解していただけたら幸いです。

本書は、企画の話を頂いてから、一気に書き下ろしたものですが、執筆の過程で、以前書いたものを一部利用したことを、あらかじめお断わりしておきます。しかし、そのまま使ったわけではなく、本書の流れの中で書き直していますので、重複はありません。

出版の経緯についていえば、本書は編集部の山下覚氏の質問から始まりました。あらかじめたくさんの問題を持って来られ、「哲学者はどう考えるのか」答えてほしいと依頼されたのですが、実際には少し困ってしまいました。というのは、哲学者たちがそうした具体的な問題に、直接答えているわけではないからです。哲学者の議論は抽象的なものが多く、たいてい直接的な指針を与えてくれません。しかし、それでは本が書けないので、私は、個々の問題に対して哲学者の主張をそのまま提示することはせず

（できず）、むしろ具体的な問題の意味を考え直す作業をいたしました。これによって、哲学者たちの議論と具体的な問題とがシンクロするようになったと思いますが、その成否については、読者のご判断に委ねたいと思います。

最後になりましたが、このような機会を与えていただいたダイヤモンド社、そして何より熱意あふれる若き編集者である山下氏に厚くお礼申し上げます。

二〇一六年　盛夏

岡本裕一朗

文庫版あとがき

本書は、2016年9月にダイヤモンド社より刊行された『いま世界の哲学者が考えていること』を文庫化したものです。幸いにも単行書は、哲学の分野だけでなく、ビジネス界の方々にも広く受け入れていただき、2016年以後は私も、ビジネスパーソンの前でお話しする機会が増えました。

しかし、刊行から5年以上も経過し、新しい内容を補充する必要があるのではないか、と常々感じていました。ちょうどそのとき、朝日新聞出版の編集者松尾信吾さんから文庫化の話をいただきました。そこで、2016年以後の状況を考えるために、1章を設けることにしました。そのため、文庫版は第7章を付加した増補本になっています。

とはいえ、第6章までの内容については、基本的な変更はありません。年代や表記など、今日の観点から気づいた部分は改めましたが、その他の部分は当時のままを保っています。タイトルからすれば全面的に書き直して、２０２３年時点での「いま世界の哲学者が考えていること」を出版すべきかもしれませんが、本書では第７章を追加することで、今日の状況に対応することにしました。

全面的な書き直しを採用しなかったのは、世界の根本的な流れが、単行書を刊行した時期と変わっていないからです。２０１６年以後、目立った形で湧き起こってきた出来事のために、第７章を追加しましたが、それ以前の章と断絶するわけではありません。むしろ、それまでの方向性がより鮮明になった、と言えるでしょう。

２０２０年代に入って明確な姿を取りつつあるのは、近代的な世界からの離脱に他なりません。経済的には資本主義、政治的にはリベラル・デモクラシー、文化的には人間主義といった従来の思想が、ことごとく検討を迫られています。そのために、本書が役に立つことを願っています。

二〇二三年一月二日

(11) スラヴォイ・ジジェク著、斎藤幸平監修、中林敦子訳『パンデミック——世界をゆるがした新型コロナウイルス』Pヴァイン、2020年

(12) 同上

(13) 同上

(14) ユヴァル・ノア・ハラリ著、柴田裕之訳『緊急提言　パンデミック——寄稿とインタビュー』河出書房新社、2020年

(15) 同上

(16) 同上

(17) NATYLIE BALDWIN, The real Zelensky: from celebrity populist to unpopular Pinochet-style neoliberal, The Grayzone, APRIL 28, 2022.

(18) 同上

(19) ジョン・ミアシャイマー「interview：欧米の誤算が生んだウクライナ危機——現実主義に徹するプーチン」、『外交』Vol.25、2014年

(20) Alexander Dugin,Trs.Mark Sleboda & Michael Millerman, *The Fourth Political Theory*, Arktos Media, 2012.

（11） クロード・アレグレ著、林昌宏訳『環境問題の本質』NTT 出版、2008年

（12） R.Costanza et al.,The value of the world's ecosystem services and natural capital, *Nature* 387,1997.

（13） 同上

（14） B.G.Norton, *Sustainability：A Philosophy of Adaptive Ecosystem Management*, University of Chicago Pr,2005.

（15） 同上

（16） 同上

（17） ウルリヒ・ベック著、東廉、伊藤美登里訳『危険社会――新しい近代への道』法政大学出版局、1998年

（18） 同上

（19） 同上

（20） 同上

（21） J・ベアード・キャリコット著、山内友三郎、村上弥生監訳、小林陽之助ほか訳『地球の洞察――多文化時代の環境哲学』みすず書房、2009年

（22） 同上

（23） 前出『環境危機をあおってはいけない――地球環境のホントの実態』文藝春秋、2003年

（24） 同上

（25） ビョルン・ロンボルグ著、山形浩生訳『地球と一緒に頭も冷やせ！　温暖化問題を問い直す』ソフトバンククリエイティブ、2008年

第7章

（1） F.Fukuyama, The End of History?, *The National Interest*, Summer 1989.

（2） ヤシャ・モンク著、吉田徹訳『民主主義を救え！』岩波書店、2019年

（3） 同上

（4） ニック・ランド著、五井健太郎訳『暗黒の啓蒙書』講談社、2020年

（5） 前出『監獄の誕生――監視と処罰』新潮社、1977年

（6） 同上

（7） 前出『記号と事件――1972-1990年の対話』河出書房新社、2007年

（8） ジョルジョ・アガンベン著、高桑和巳訳『私たちはどこにいるのか？――政治としてのエピデミック』青土社、2021年

（9） ジャン゠リュック・ナンシー著、伊藤潤一郎訳『あまりに人間的なウイルス――COVID-19の哲学』勁草書房、2021年

（10） Judith Butler, “Capitalism Has its Limits”, Verso, 30 March 2020.

(13) ウルリッヒ・ベック著、鈴木直訳『〈私〉だけの神——平和と暴力のはざまにある宗教』岩波書店、2011年

(14) ミシェル・ウエルベック著、大塚桃訳『服従』河出書房新社、2015年

(15) 同上

(16) スティーヴン・ジェイ・グールド著、狩野秀之、古谷圭一、新妻昭夫訳『神と科学は共存できるか？』日経 BP 社、2007年

(17) 同上

(18) 同上

(19) リチャード・ドーキンス著、垂水雄二訳『神は妄想である——宗教との決別』早川書房、2007年

(20) 同上

(21) ダニエル・C・デネット著、阿部文彦訳『解明される宗教——進化論的アプローチ』青土社、2010年

(22) 同上

(23) 同上

(24) M.Gabriel, *Warum es die Welt nicht gibt*, Ullstein, 2013.

(25) 同上

第6章

(1) ビョルン・ロンボルグ著、山形浩生訳『環境危機をあおってはいけない——地球環境のホントの実態』文藝春秋、2003年

(2) リン・ホワイト著、青木靖三訳『機械と神——生態学的危機の歴史的根源』みすず書房、1999年

(3) 同上

(4) ロデリック・F・ナッシュ著、松野弘訳『自然の権利——環境倫理の文明史』筑摩書房、1999年

(5) アルド・レオポルド著、新島義昭訳『野生のうたが聞こえる』講談社、1997年

(6) アルネ・ネス「シャロー・エコロジー運動と長期的視野を持つディープ・エコロジー運動」（アラン・ドレングソン、井上有一共編『ディープ・エコロジー——生き方から考える環境の思想』所収）昭和堂、2001年

(7) アルネ・ネス「自己実現——この世界におけるエコロジカルな人間存在のあり方」（前出『ディープ・エコロジー』所収）昭和堂、2001年

(8) アルネ・ネス「手段は質素に、目標は豊かに」（小原秀雄監修『環境思想の系譜 3 環境思想の多様な展開』）東海大学出版会、1995年

(9) A.Light & E.Katz(eds.), *Environmental Pragmatism*, Routledge, 1996.

(10) 同上

(11) ジャック・アタリ著、林昌宏訳『21世紀の歴史――未来の人類から見た世界』作品社、2008年

(12) ダニ・ロドリック著、柴山桂太、大川良文訳『グローバリゼーション・パラドクス――世界経済の未来を決める三つの道』白水社、2013年

(13) 同上

(14) M.Andreesen, Why Bitcoin Matters, *The New York Times*, 2014.

(15) フェリックス・マーティン著、遠藤真美訳『21世紀の貨幣論』東洋経済新報社、2014年

(16) ジェレミー・リフキン著、柴田裕之訳『限界費用ゼロ社会――〈モノのインターネット〉と共有型経済の台頭』NHK 出版、2015年

(17) 同上

(18) ヨーゼフ・シュムペーター著、中山伊知郎、東畑精一訳『新装版　資本主義・社会主義・民主主義』東洋経済新報社、1995年

(19) 同上

(20) 同上

(21) ジョヴァンニ・アリギ著、土佐弘之監訳、柄谷利恵子、境井孝行、永田尚見訳『長い20世紀――資本、権力、そして現代の系譜』作品社、2009年

第5章

(1) ユルゲン・ハーバマス著、三島憲一ほか訳『近代の哲学的ディスクルス1』岩波書店、1990年

(2) ユルゲン・ハーバマス、ヨーゼフ・ラッツィンガー著、フロリアン・シュラー編、三島憲一訳『ポスト世俗化時代の哲学と宗教』岩波書店、2007年

(3) Ch.Taylor, *A Secular Age*, Harvard University Press , 2007.

(4) チャールズ・テイラー著、伊藤邦武、佐々木崇、三宅岳史訳『今日の宗教の諸相』岩波書店、2009年

(5) P.L.Berger(ed.), *The Desecularization of the World : Resurgent Religion and World Politics*, Ethics and Public Policy Center, 1999.

(6) 同上

(7) サミュエル・P・ハンチントン著、鈴木主税訳『文明の衝突』集英社、1998年

(8) マルク・クレポン著、白石嘉治編訳『文明の衝突という欺瞞』新評論、2003年

(9) 前出『文明の衝突』集英社、1998年

(10) ジル・ケペル著、丸岡高弘訳『テロと殉教――「文明の衝突」をこえて』産業図書、2010年

(11) 同上

(12) 同上

(13) レオン・R・カス編著、倉持武監訳『治療を超えて――バイオテクノロジーと幸福の追求』青木書店、2005年

(14) J.Harris, *Enhancing Evolution : The Ethical Case for Making Better People*, Princeton University press, 2007.

(15) P.Singer & A.Sagan, Are We Ready for a 'Morality Pill'? ,*The New York Times*, 2012.

(16) マイケル・S・ガザニガ著、梶山あゆみ訳『脳のなかの倫理――脳倫理学序説』紀伊國屋書店、2006年

(17) O.R.Goodenough & K.Prehn, A neuroscientific approach to normative judgement in law and justice, *Philos Trans R Soc Lond* B Biol Sci. 2004.

(18) 前出『言葉と物―人文科学の考古学』新潮社、1974年

(19) 同上

(20) フリードリヒ・ニーチェ著、信太正三訳『悦ばしき知識』(ニーチェ全集8)筑摩書房、1993年

(21) フリードリヒ・ニーチェ著、手塚富雄訳『ニーチェ　世界の名著』中央公論社、1978年

(22) ペーター・スローターダイク著、仲正昌樹編訳『「人間園」の規則――ハイデッガーの『ヒューマニズム書簡』に対する返書』御茶の水書房、2000年

(23) 同上

第4章

(1) スラヴォイ・ジジェク著、栗原百代訳『ポストモダンの共産主義――はじめは悲劇として、二度めは笑劇として』筑摩書房、2010年

(2) ロバート・ライシュ著、雨宮寛、今井章子訳『格差と民主主義』東洋経済新報社、2014年

(3) 同上

(4) Hary G.Frankfurt, *On inequality*, Princeton University Press, 2015.

(5) デヴィッド・ハーヴェイ著、森田成也ほか訳『新自由主義――その歴史的展開と現在』作品社、2007年

(6) アマルティア・セン著、池本幸生訳『正義のアイデア』明石書店、2011年

(7) アマルティア・セン著、大庭健、川本隆史訳『合理的な愚か者――経済学=倫理学的探究』勁草書房、1989年

(8) アントニオ・ネグリ、マイケル・ハート著、水嶋一憲ほか訳『〈帝国〉――グローバル化の世界秩序とマルチチュードの可能性』以文社、2003年

(9) 同上

(10) エマニュエル・トッド著、石崎晴己訳『帝国以後――アメリカ・システムの崩壊』藤原書店、2003年

(14) 同上

(15) ヒューバート・ドレイファス著、黒崎政男、村若修訳『コンピュータには何ができないか——哲学的人工知能批判』産業図書、1992年

(16) 前出『マインド——心の哲学』朝日出版社、2006年

(17) ダニエル・デネット「コグニティヴ・ホイール——人工知能におけるフレーム問題」(『現代思想』1987年4月号所収) 青土社

(18) レイ・カーツワイル著、井上健監訳、小野木明恵、野中香方子、福田実共訳『ポスト・ヒューマン誕生——コンピュータが人類の知性を超えるとき』NHK出版、2007年

(19) N.Bostrom, *Superintelligence : Paths, Dangers, Strategies*, Oxford University Press, 2014.

(20) C.B.Frey & M.A.Osborne, The Future of Employment : How susceptible are Jobs to Computerisation?, 2013.

(21) カール・マルクス著、今村仁司、三島憲一、鈴木直訳『資本論』第1巻下 (マルクス・コレクションV) 筑摩書房、2005年

(22) マックス・ホルクハイマー、テオドール・アドルノ著、徳永恂訳『啓蒙の弁証法——哲学的断想』岩波書店、2007年

(23) アイザック・アシモフ著、小尾芙佐訳『われはロボット』早川書房、2004年

第3章

(1) フランシス・フクヤマ著、鈴木淑美訳『人間の終わり——バイオテクノロジーはなぜ危険か』ダイヤモンド社、2002年

(2) グレゴリー・ストック著、垂水雄二訳『それでもヒトは人体を改変する——遺伝子工学の最前線から』早川書房、2003年

(3) N.Bostrom, In Defense of Posthuman Dignity, *Bioethics*, vol.19, 2005.

(4) 同上

(5) マーサ・C・ナスバウム、キャス・R・サンスタイン編、中村桂子、渡会圭子訳『クローン、是か非か』産業図書、1999年

(6) 同上

(7) G.E.Pence, *Brave New Bioethics*, Rowman & Littlefield Publishers, Inc. 2002.

(8) J.Habermas, Nicht die Natur verbietet das Klonen. Wir müssen selbst entscheiden. Eine Replik auf Dieter E.Zimmer,*Zeit*, 1998.

(9) 同上

(10) ユルゲン・ハーバマス著、三島憲一訳『人間の将来とバイオエシックス』法政大学出版局、2012年

(11) 前出『ポスト・ヒューマン誕生——コンピュータが人類の知性を超えるとき』NHK出版、2007年

(12) 同上

(15) M.Gabriel, *Warum es die Welt nicht gibt*, Ullstein, 2013.

(16) 同上

(17) 同上

(18) ポール・M・チャーチランド「消去的唯物論と命題的態度」(信原幸弘編『シリーズ・心の哲学Ⅲ　翻訳篇』勁草書房)、2004年

(19) 同上

(20) ポール・M・チャーチランド著、信原幸弘、宮島昭二訳『認知哲学――脳科学から心の哲学へ』産業図書、1997年

(21) A.Clark & D.Chalmers, The Extended Mind, *Analysis* 58,1998.

(22) アンディ・クラーク著、池上高志、森本元太郎監訳『現れる存在――脳と身体と世界の再統合』NTT 出版、2012年

(23) Th.Nagel, You Can't Learn About Morality from Brain Scans : The problem with moral Psychology, *The New Republic*, November 2, 2013.

第2章

(1) ジル・ドゥルーズ著、宮林寛訳『記号と事件――1972-1990年の対話』河出書房新社、2007年

(2) ノルベルト・ボルツ著、識名章喜、足立典子訳『グーテンベルク銀河系の終焉――新しいコミュニケーションのすがた』法政大学出版局、1999年

(3) 総務省、2012年版『情報通信白書』

(4) M.Ferraris, *Introduction to New Realism*, Bloomsbury, 2015.

(5) ジグムント・バウマン、デイヴィッド・ライアン著、伊藤茂訳『私たちが、すすんで監視し、監視される、この世界について――リキッド・サーベイランスをめぐる7章』青土社、2013年

(6) スラヴォイ・ジジェク著、中山徹、清水知子訳『全体主義―観念の(誤)使用について』青土社、2002年

(7) ミシェル・フーコー「あるフランス人哲学者の見た監獄」(小林康夫、石田英敬、松浦寿輝編集『ミシェル・フーコー思考集成』Ⅴ)筑摩書房、2000年

(8) マーク・ポスター著、室井尚、吉岡洋訳『情報様式論――ポスト構造主義の社会理論』岩波書店、1991年

(9) ミシェル・フーコー著、田村俶訳『監獄の誕生――監視と処罰』新潮社、1977年

(10) Th.Mathiesen, The viewer society : Michel Foucault's 'panopticon' revisited, *Theoretical Criminology* vol.1, no.2,1997.

(11) 同上

(12) ジークムント・バウマン著、森田典正訳『リキッド・モダニティ―液状化する社会』大月書店、2001年

(13) 前出『記号と事件――1972-1990年の対話』河出書房新社、2007年